创造性思维
——与创新创业

◎主　审　张　雄
◎主　编　梁小丽　宋耀辉　王录军
◎副主编　张　龙　石欣欣　雷　蕾
　　　　　何　宇

西北大学出版社
·西安·

图书在版编目（CIP）数据

创造性思维与创新创业 / 梁小丽，宋耀辉，王录军主编 .-- 西安：西北大学出版社，2020.9
ISBN 978-7-5604-4599-1

Ⅰ.①创… Ⅱ.①梁… ②宋… ③王… Ⅲ.①创造性思维—高等学校—教材 ②创业—高等学校—教材 Ⅳ.① B804.4 ② F241.4

中国版本图书馆 CIP 数据核字（2020）第 173568 号

创造性思维与创新创业

主　　编	梁小丽　宋耀辉　王录军
出版发行	西北大学出版社
地　　址	西安市太白北路 229 号
邮　　编	710069
电　　话	029-88302825
经　　销	全国新华书店
印　　装	西安华新彩印有限责任公司
开　　本	710mm×1000mm　1/16
印　　张	9.5
字　　数	155 千字
版　　次	2020 年 9 月第 1 版　2020 年 9 月第 1 次印刷
书　　号	ISBN 978-7-5604-4599-1
定　　价	26.00 元

本版图书如有印装质量问题，请拨打电话 029-88302966 予以调换。

《创造性思维与创新创业》编委会

主　审　张　雄
主　编　梁小丽　宋耀辉　王录军
副主编　张　龙　石欣欣　雷　蕾　何　宇
编　者　俞延文　成明明　白夏平　张　驰
　　　　卢百龙

前 言
PREFACE

2015年3月11日，国务院办公厅发布的《关于发展众创空间 推进大众创新创业的指导意见》（国办发〔2015〕9号）中指出，要加快实施创新驱动发展战略，适应和引领经济发展新常态，顺应网络时代大众创业、万众创新的新趋势；鼓励高校开发开设创新创业教育课程，加强大学生创业培训，以创业带动就业。2015年5月4日，国务院办公厅发布的《关于深化高等学校创新创业教育改革的实施意见》（国办发〔2015〕36号）中指出，要健全创新创业教育课程体系，组织学科带头人、行业企业优秀人才，联合编写具有科学性、先进性和适用性的创新创业教育重点教材。教育部《关于做好2016届全国普通高等学校毕业生就业创业工作的通知》（教学〔2015〕12号）文件要求，各地各高校都要把提高教育质量作为创新创业教育改革的出发点和落脚点。根据人才培养定位和创新创业教育目标要求，促进专业教育与创新创业教育有机融合。从2016年起所有高校都要设置创新创业教育课程，对全体学生开发开设创新创业教育必修课和选修课，并将其纳入学分管理。

"创新教育"一词最早起源于20世纪40年代的美国，2007年4月，我国教育部才启动了"国家大学生创新性实验计划"项目。1989年，联合国教科文组织召开的面向21世纪教育国际研讨会上提出"创业教育"一词，那时将其定义为"对青年的事业心、进取心、冒险精神等的培养"。创新创业教育包括创新教育和创业教育，创新教育注重意识层面，侧重于创造性思维的开发；创业教育注重实现人的自我价值，侧重于创业能力的培养。

目前，全国高等院校普遍都十分重视创新创业教育，不仅把创新创业教育作为创造性思维开发与高素质技能教育的重要体现，而且提高到转变传统教育理念、改革传统人才培养模式的高度，将培育大学生的创新精神和创业技能、提倡和支持大学生创业就业，视为缓解社会就业压力、支持产业结构升级和经济转型发展的重大举措。

2011年5月，国务院发布的《关于进一步做好普通高等学校毕业生就业工作的通知》（国发〔2011〕16号）中指出，要加强创业教育、创业培训和创业服务。要求各高校广泛开展创业教育，积极开发创新创业类课程，不断完善创新创业教育课程体系，将创新创业教育课程纳入学分管理。课程体系构建是创新创业教育的重要组成部分，课程体系是否健全直接影响创新创业教育的成功与否。

本教材不同于一般的创新创业学教材，未将创新创业教育与必然创业紧密结合起来。本教材强调创新之创造性思维的开发，并把创业定义为宽泛概念，因为能成为成功企业家的毕竟是少数，我们的社会也需要大量的自谋职业的创业者和提供就业机会与岗位的中小企业。本教材基于造就大众创业者而不仅是少数的创业精英而编写，着眼于服务广大创业者并期望培养创业精英。

本教材突出案例教学、互动交流和课堂研讨。它既可以作为应用型本科和高职高专各专业的创新创业学（创业学）课程教材，也可以作为创新创业教育的培训教材或参考书，还适于各阶层创业者和有志于创业的人士阅读。

本教材由宋耀辉博士主持的"陕西高等学校创新创业教育研究与培训基地建设项目"（陕教高办〔2018〕48号）课题组成员共同编写。具体编写分工如下：第一章由渭南职业技术学院张龙讲师编写，第二章第一节和第二节由武汉格莱科技有限公司渭南校区俞延文硕士编写，第二章第三节由渭南职业技术学院雷蕾讲师编写，第三章由渭南职业技术学院石欣欣讲师编写，第四章由渭南职业技术学院何宇讲师编写，第五章由渭南市就业培训中心成明明讲师编写，第六章由渭南职业技术学院梁小丽讲师编写，第七章由渭南职业技术学院、新疆社会科学院博士后科研工作站宋耀辉副教授编写。全书由渭南职业技术学院宋耀辉副教授负责统稿，王录军副教授指导，最后由宋耀辉副教授和雷蕾讲师校订书稿。同时要感谢渭南职业技术学院张雄教授在百忙之中审阅了全书的内容，还要感谢渭南职业技术学院白夏平教授、卢百龙教授，汉中职业技术学院张弛讲师在本教材编写过程中给予的帮助，在此一并致谢。

由于编写时间仓促，作者水平有限，不妥之处和遗漏在所难免，恳请读者和专家批评指正。

编者
2020年7月

目录
CONTENTS

第一部分 创造性思维与创新创业 / 1

第一章 创造性思维的产生 / 3

第一节 创造的内涵 / 6

第二节 创造力的内涵 / 8

第三节 创造性思维的理论内涵 / 14

思考题 / 22

第二章 创新创业的思维内涵 / 23

第一节 创新创业概述 / 24

第二节 创新创业成功、失败及政策引导 / 31

第三节 创造性思维与创新创业教育 / 35

思考题 / 47

第二部分 创造性思维的训练 / 49

第三章 创造性思维模式 / 51

第一节 创造性思维的模式 / 52

第二节 创造性思维的类型 / 55

第三节　创造性思维的应用与实践 / 62

思考题 / 66

第四章　创造性思维概述 / 67

第一节　创造性思维概述 / 69

第二节　创造性思维的一般属性 / 73

思考题 / 85

第五章　创造思维技法应用 / 86

第一节　创新思维的基础——联想和想象 / 89

第二节　个体创新思维训练之绘制思维导图 / 92

第三节　个体创新思维训练之奥斯本检核表法 / 95

第四节　集体创新思维训练之头脑风暴法 / 98

第五节　集体创新思维训练之"635"法 / 100

思考题 / 102

第六章　创新思维能力训练 / 103

第一节　学习技能 / 105

第二节　观察技能 / 107

第三节　问题技能 / 109

第四节　沟通技能 / 111

第五节　借力技能 / 114

第六节　抓机遇技能 / 116

思考题 / 119

第七章　创新创业案例解读 / 120

第一节　盛智文创业 / 120

第二节　杨云创业 / 124

第三节　研究生创业 / 127

第四节　小柿子创造大事业 / 130

第五节　郓城小伙返乡创业，助力乡村振兴 / 133

第六节　蜗牛有房 / 137

第七节　略有所思 / 140

参考文献 / 142

第一部分 创造性思维与创新创业

第一章

创造性思维的产生

📖 课程目标

掌握创造的概念与创造的层次；

掌握创造力的概念与影响创造力的因素；

掌握创造性思维的概念与特点；

理解创造性思维培养的方法。

📖 重点难点

教学重点：创造与创造力的概念、创造的层次和发明创造的技法。

教学难点：创造性思维的过程与培养。

📖 案例导入

詹天佑修筑京张铁路

詹天佑幼时留学美国，十八岁考入美国耶鲁大学土木工程及铁路专修科，三十四岁当选为英国工程研究会会员。在国外，他亲眼看到一日千里的火车铁路，心中便暗暗发誓："今后中国也要有自己的铁路和火车！"

1881年，胸怀发展祖国铁路事业的热忱，詹天佑回到了久别的祖国。然而，回国后的他却被分配到军舰上担任驾驶官。学铁路却要干海洋，学非所用，一耽误就是好几个春秋。直到20世纪初期，中国人总算提出了自己修筑铁路的设想，清廷也设立铁路矿务总局，准备兴建从北京通往张家口的京张铁路。

1905年5月，詹天佑被聘为总工程师，主持修建京张铁路。一些外国人听了，公开讥讽道："修筑这条铁路的中国工程师，恐怕还没有出生呢！""中国人想不靠外国人自己修铁路，就算不是梦想，至少也得五十年！"他们挖苦詹天佑出任京张铁路总工程师是不自量力，他们在等着看中国人的笑话。

詹天佑下定决心，要为中国人争一口气。他说："中国地大物博，而修路工程却必须借用洋人，这应该引以为耻。中国人已经醒过来了，中国人要用自己的工程师、自己的钱来修筑铁路！"

京张铁路从北京到张家口，全长有两百多公里，中间要经过层峦叠嶂、峭壁耸立的燕山山脉，特别是居庸关、青龙桥、八达岭等地区，地形十分险恶，工程量很大。

詹天佑背上标杆仪器，骑着小毛驴，整日奔走在崎岖的荒山野地，实地勘测线路。他白天测量线路，晚上还要伏在油灯下绘图计算，一遍又一遍地勘察定线。

工程开工以后，困难接踵而来。因为缺少机械和轻轨，所有工作都得靠人力；外国银行故意拖延工程款，造成经费接济不上；等等。詹天佑排除万难，一寸一寸地把工程向前推进。铁路过了南口以后，共有居庸关、五桂头、石佛寺和八达岭四处隧道，总长一千六百四十五米。这是全路工程成败的关键。詹天佑发誓："一天不打通居庸关、八达岭的隧道，就一天不回北京。"

居庸关山势高、岩层厚，隧道长达四百米，施工难度非常大。为了加快工程进度，詹天佑想出了从南北两端向中心对凿的方案。但人力凿山，进度很慢，詹天佑又大胆地提出了炸开岩石的办法，施工进度果然加快了许多。隧道越凿越深，凿到几十米处，洞里哗哗地流出水来，工人们半身都浸泡在泥水里。因为没有抽水机，詹天佑从早到晚带头向洞外挑水，与工人们吃住在一块，常常半个月也不离开工地一步。工人们对这样一位吃苦在先、以身作则的总工程师非常敬佩。

居庸关隧道打通了，接着又要开凿八达岭隧道。八达岭隧道比居庸关隧道还要长，这么长的隧道，南北对凿，中心是不太容易对准的。詹天佑又提出了一种凿竖井的开凿办法，就是从隧道中心点的山顶先凿开一个洞，笔直往下凿。凿到一定深度时，再分开两头，向南北凿去。这样可以有四个工作面同时开凿，也就不会凿歪了。工人们的热情都很高，没过多少久，这条全长一千一百四十五米的长隧道也终于开凿成功。

　　两大艰险工程完工后，其他两座隧道也顺利凿通。这时，还剩下最后一道难题有待解决，那就是因从南口到八达岭的地势太陡，如果采用常规的螺旋式线路，火车很难爬上去。詹天佑在请教了当地老乡后，他创造性地设计出了一种折返线路，就是在山高坡陡的青龙桥地段，顺着山腰，铺设"人"字形路轨，这样既降低了坡度，也缩短了隧道。火车到这里，以两部大马力机车前后一推一拉，就可安全地爬过陡坡。

　　1909年7月，京张铁路全线通车，这条计划用六年时间完工的工程，不仅只用了四年，还节省了二十八万两银子的费用。中国人自行设计和修筑的京张铁路，为中国人争了光。

（资料来源：中国网）

　　回顾人类发展的历史，创造的历史远比人类的历史古老。观察人类发展的历史可以发现，创造是推动人类社会不断进步和发展的杠杆，也是推动人类历史前进的强大动力。发明家和科学家群体，是引领人类社会发展前进的开路先锋。当今是创造发明的时代，是知识爆炸的时代，国家之间、企业之间的竞争越来越激烈。这些竞争从表象上来看是产品的竞争，实质上却是智力的竞争，是创造力的竞争，归根结底是创造发明的竞争。创造的过程遍及社会的方方面面，在知识爆炸的年代，创造知识的广泛应用，对任何一个实践领域都具有现实意义，对任何一个立志创新的人都是不可缺少的。

第一节　创造的内涵

一、创造的概念

20世纪40年代，美国和日本率先开展了对创造的系统性研究，产生了创造学。随后，世界各地开展了对创造学的研究工作。我国对创造的系统研究始于20世纪80年代。

国内外不同的学者对于创造的概念有不同的认识。国外学者对创造的理解主要有：D.N.柏金思认为，创造是产生我们通常认为有创造性的产品的过程。五十岗道子认为，创造是以未知的事物为起点，向全新的、无法预期的世界诱导人们，使人感到满足的东西。东京大学的伊东俊太郎认为，创造就是解决新问题、进行新组合、发现新思想和发展新理论。日本创造工程学家恩田彰在《创造性心理学》一书中指出，创造就是把已知的材料进行重新组合，产生出新的事物或思想。

国内学者对创造的理解主要有：中国创造学会副会长李嘉曾认为，创造是人产生崭新的精神或物质成果的思维与行为的总和。鲁克成、罗庆生认为，创造是主体为实现一定目的，控制客体以有灵感思维参与的高智能劳动，产生有社会价值的前所未有的新成果的活动。刘志光认为，创造就是人类主动地改造现实世界，建立新的生活，获得新价值的开拓性活动。《辞海》一书对创造的解释是首创前所未有的东西。

因此，我们认为创造是指人们在各种社会实践中，能充分运用自己的智慧，发现新情况，研究新问题，解决新矛盾，产生新思想或新成果，以满足社会物质生活和精神生活的需要，推动社会向前发展的活动过程。创造的层次有高有低，低层次的创造主要是对局部或某个集体带来物质财富或精神财富的创造，譬如为企业创造经济效益、创造企业文化等；高层次的创造则是对整个社会或整个人类有价值的创造，它能够改变人类历史的进程。

创造有狭义和广义之分，狭义的创造是指提供新颖的、独创的，具有社会意义产物的活动。例如，科学的发现：看出、察觉、明白、领悟等；技术的发明：制作、造出、组建等。广义的创造是指从事就自身而言是新颖的活动。创造的具体活动有开发新技术、研制新产品、改进工作方法、改革工作制度、寻求新的决策、革新管理体制、探索新的教育方法和创作新的艺术形象。

二、创造的层次

创造的层次类型一般分为以下几种：

1）表露式的创造。创造才能的初步显露，如儿童绘画才能的表露、技能的表演等。表露式的创造是其他各种创造的基础。

2）生产的创造。发展各种技术以产生完美的产品。这一层次的创造，以技术性、实用性、圆满性等为其特征。

3）发明的创造。发明家、探险家等寻找新的方法来看旧的东西，或者在应用材料、技术以及方法上表现出高超的技巧。

4）革新的创造。革新技术或革新产品，这种人的创造有高度的抽象化、概念化的技巧，以及敏锐的观察力与领悟力。他对所要创造的那一领域有充分的了解，能发掘问题，产生革新的成果。

5）深奥的创造。经过艰巨的、较长期的思考研究而产生的新的原理或原则，而这些新的原理或原则往往形成新的学派或新的局面。

无论何种层次和何种领域的创造，都具有创造的社会性和思想性。社会性指的是创造的社会效果，思想性指的是创造者的正确目的和动机。如果创造离开了社会性和思想性，那么创造便失去了价值。

创造所体现的科技水平有以下几种类型：

1）突破型。它具有开创性，是能够起划时代作用的技术成就。如晶体管、激光器、电子计算机等。

2）开发型。它是把突破型技术成果向深度或广度推进的创新成果。如数控机床、激光机械等。

3）改进型。在开发型技术创新的基础上做某些移植、组合和改进，进而完成技术革新。如生产活动中的技术革新类。

第二节　创造力的内涵

一、创造力概述

创造力是人们从事创造活动的能量,是以观察力、想象力和逻辑思维能力为基础,产生改革旧事物所需要的灵感和创造性设想的能力。也可以说是对已经积累的知识和经验进行科学的加工和创造,以产生新知识、新思想、新概念、新产品和新成果的能力。创造力是智力因素与非智力因素的综合。

1. 创造力的智力因素

创造力的智力因素主要包括以下几种能力:

1) 观察能力。观察能力主要通过观察、感觉和知觉,使人同外部联系起来,从而产生对客观世界感性认识的能力。富于创造性的人对自己、对他人、对事物都有敏锐的直观力,尤其对于问题的所在及其敏感。它是智力结构的眼睛。

2) 记忆能力。我们把从直观得到的信息和材料,一成不变地保留和储存下来,称为记忆。记忆力就是保持识记的能力。任何创造性的活动,如果排除记忆力都是不可思议的,因为任何一种创造性活动,必定以记忆的知识为材料。它是智力结构的存储器。

3) 思考能力。思考能力是指在已取得的知识中,经过分析和综合、推理和判断等逻辑思维活动,得出新结论的思维能力。在创造活动中,思考能力占有重要的地位。没有思考,就没有创造活动,也就不会有创造性产品。它是智力结构的中枢。

4) 想象能力。想象是指人在头脑里改造记忆中的表象而创造新形象的过程,也是过去经验中已经形成的那些记忆暂时联系,从而进行新的结合过程。想象是人们思维是否具有创造性的标志,想象力是人们主观能动性的高度表现,是创造力的重要基础。想象能力是一个人能够结合以往的经验,在想象中形成创造性的新形象,提出新的假设,使思维产生飞跃。它是智力结构的翅膀。

2. 创造力的非智力因素

创造力的非智力因素是指人的兴趣、情绪、性格和道德情操等。

兴趣能推动创造性活动的发展，促进其成功。兴趣比较广泛的人，眼界比较宽广，容易从多方面得到启发。兴趣要有中心，保持兴趣的稳定和发挥兴趣的效能是创造成功的关键因素。

人的情绪（心境、激情、热情），高级情感（理智感、审美感），情绪品质（倾向性、坚定性等）都直接影响着创造力。如能科学地控制与调节自己的情绪是促使创造成功的重要因素。

人的意志的自觉性、果断性、自制力和坚持性对创造力的影响也很大。自觉性能使自己的创造目的有着正确的、充分的认识；果断性能使自己在关键时刻做出决定，抓住机遇；自制力能控制自己的情绪。

创造力的这些非智力因素属于人的教养和修养问题，它并非与生俱来，在很大程度上是通过后天培养的。

二、发明创造技法

发明创造技法是在研究剖析大量成功的创造发明实例的基础上，归纳总结出可启迪人们思路的实用方法。常用的发明创造技法有头脑风暴法和组合发明法等。

（一）头脑风暴法

头脑风暴法是以专题讨论会的形式，通过发散思维，进行信息催化，激发大量的创造性设想，从而形成综合创造力的一种集体创造方法。

1. 头脑风暴法的基本原则

1）限时限人原则——限时：时间过短容易使讨论不够充分，时间过长则容易因疲劳而影响讨论的热情，一般以30—60分钟为宜；限人：人数太少容易冷场，人数过多则影响讨论者的积极性，一般以6—10人为宜。

2）自由畅想原则——敞开思想、不受约束、畅所欲言。

3）延迟评判原则——过早评判、下结论会把许多新观念拒之门外。

4）以量求质原则——量变到质变。

5）综合改善原则——鼓励借题发挥，对别人的设想进行补充完善，从而形成新的设想。

2. 头脑风暴法的实施步骤

1）准备阶段。确定时间、地点、参加人员。

2）热身阶段。由主持人安排小节目或思考题，目的是活跃气氛。

3）明确中心议题。主持人简明介绍议题内容、要求和目的。

4）自由畅谈。畅所欲言，认真做好记录。

5）加工整理。会后由主持人整理成正式提案。

3. 头脑风暴法的发展形式

1）德国默写式。由6人参加，每人在5分钟内写3个设想，标号以后进行交流，第二个5分钟内再写3个新的设想，最多往返6次，共产生108个设想。因此又称此法为"635"法。

2）日本三菱式。①与会者10分钟内在专用表格上填写1—5个设想；②轮流发表自己的设想；③整理后写成正式提案；④互相质询，进一步修订；⑤进一步讨论，以获得最佳方案。

（二）组合发明法

组合发明法是按照一定的技术原理或功能目的，将现有的科学技术、原理或方法、现象和物品做适当的组合或重新安排，从而获得具有统一整体功能的新技术和新产品的创造方法。

1）同物组合。两个或两个以上的同一事物的组合，具有对称性。

2）异物组合。两种或两种以上不同功能的物质产品的组合。

3）功能组合。将某一物体加以适当改变，集多种功能于一身。

4）材料组合。不同性能材料的组合，解决材料自身的缺点。

5）方法组合。两种以上独立的方法组合，获得新的效果。

6）技术原理与技术手段的组合。把已有的某种技术原理置于其他技术领域已有的技术上。

三、创造障碍

创造障碍是指阻碍创造活动的主观和客观因素。阻碍创造活动的主观因素主要表现为以下几个方面：

1）习惯从固定的角度看问题，无意于从不同角度去分析问题，思考问题受习惯性思维程序的束缚。

2）循规蹈矩、因循守旧，不求创新。

3）知识面过窄，视野狭小，局限于一孔之见，缺乏想象力，不能由此及彼、举一反三。

4）只唯书、只唯上，不唯实，过分信赖权威，不敢存疑，不敢深究，缺乏独立见解。

5）先入为主，以偏概全，固执己见，听不得不同意见，结果画地为牢，自己框住自己。

6）过于自卑，叹不如人，妄自菲薄、丧失信心，行为从众随大流。

7）谨慎小心，怕担风险，怕失面子，有新的见解也不敢独树一帜。

8）工作不得要领，胡子眉毛一把抓，把握不住重点和方向，劳而无功。

创造障碍的客观因素主要有环境条件和物资条件两种。客观因素可以通过主观努力来解决。

四、威廉斯创造力倾向测验

威廉斯创造力倾向测量表通过测验个人的一些性格特点，包括冒险性、好奇性、想象力和挑战性，来测量个人的创造性倾向。它可以用来发现那些有创造性的个体。高创造力的个体在进行创造性工作时更容易成功，低创造力的个体则循规蹈矩，更适合进行常规型的工作。趋于冒险，好奇心强，想象力丰富，勇于挑战未知的人就是创造性倾向强的人。

创造性的个体被认为具有以下认知和情感特质：想象流畅灵活，不循规蹈矩，有社会性敏感，较少有心理防御，愿意承认错误，与父母关系密切等。

（一）测试题目

下面是一份帮你理解自己创造力的练习。请你根据每个句子对你的适合程度进行选择，每个句子都有三种选择："完全符合"（A）、"部分符合"（B）、"完全不符合"（C）。

注意：①每一题都要做，不要花费太多的时间去想。②所有的题目都没有"正确答案"，凭你读每个句子后的第一印象进行选择。③虽然没有时间限制，但是应争取以较快的速度完成。④凭自己的真实感觉作答，将最符合的选择所对应的字母填入题后括号内。

1. 在学校里，我喜欢试着对事情或问题做猜测，即使不一定都猜对也无所谓。（　　）
2. 我喜欢仔细观察我没有看过的东西，以了解详细的情形。（　　）
3. 我喜欢听变化多端和富有想象力的故事。（　　）
4. 画图时我喜欢临摹别人的作品。（　　）
5. 我喜欢利用旧报纸、旧日历以及旧罐头盒等废弃物做成各种好玩的东西。（　　）
6. 我喜欢幻想一些我想知道或想做的事。（　　）
7. 如果事情不能一次完成，我会继续完成尝试，直到成功为止。（　　）
8. 做功课时我喜欢参考各种不同的资料，以便得到多方面的了解。（　　）
9. 我喜欢用相同的方法做事情，不喜欢去找其他新的方法。（　　）
10. 我喜欢探究事情的真假。（　　）
11. 我不喜欢做许多新鲜的事。（　　）
12. 我不喜欢交新朋友。（　　）
13. 我喜欢一些不会在我身上发生的事情。（　　）
14. 我喜欢幻想有一天能成为艺术家、音乐家或诗人。（　　）
15. 我会因为一些令人兴奋的念头而忘记了其他的事。（　　）
16. 我宁愿生活在太空站，也不喜欢在地球上。（　　）
17. 我认为所有的问题都有固定的答案。（　　）
18. 我喜欢与众不同的事。（　　）
19. 我常想知道别人正在做什么。（　　）
20. 我喜欢故事或电视节目中所描写的事。（　　）
21. 我喜欢和同学一起，和他们分享我的想法。（　　）
22. 如果一本故事书的最后一页被撕掉了，我就自己编造一个故事，把结局补上去。（　　）
23. 我长大后，想做一些别人从来没做过的事情。（　　）
24. 尝试新的游戏和活动，是一件有趣的事情。（　　）
25. 我不喜欢太多的规则限制。（　　）

26. 我喜欢解决问题，即使没有正确的答案也没关系。（   ）
27. 有许多事情我都很想亲自去尝试。（   ）
28. 我喜欢没有人知道的新歌。（   ）
29. 我喜欢在班上同学面前发表意见。（   ）
30. 当我读小说或看电视时，我喜欢把自己想象成故事里的人物。（   ）
31. 我喜欢幻想200年前人类生活的情形。（   ）
32. 我常想自己编一首新歌。（   ）
33. 我喜欢翻箱倒柜，看看有些什么东西在里面。（   ）
34. 画图时，我很喜欢改变各种东西的颜色和形状。（   ）
35. 我不敢确定我对事情的看法都是对的。（   ）
36. 对于一些事情先猜猜看，然后再看是不是猜对了，这种方法很有趣。（   ）
37. 玩猜谜之类的游戏很有趣，因为我想知道结果如何。（   ）
38. 我对机器有兴趣，也很想知道它里面是什么样子，以及它是怎样运转的。（   ）
39. 我喜欢可以拆开的玩具。（   ）
40. 我喜欢想一些点子，即使用不着也无所谓。（   ）
41. 一篇好的文章应该包含许多不同的意见和观点。（   ）
42. 为将来可能发生的问题找答案，是一件令人兴奋的事。（   ）
43. 我喜欢尝试行动事情，目的只是想知道会有什么结果。（   ）
44. 玩游戏时，通常是有兴趣参加，而不在乎输赢。（   ）
45. 我喜欢想一些别人常常谈过的事情。（   ）
46. 当我看到一张陌生人的照片时，我喜欢去猜测他是怎样一个人。（   ）
47. 我喜欢翻阅书籍及杂志，但只是知道它的内容是什么。（   ）
48. 我不喜欢探询事情发生的各种原因。（   ）
49. 我喜欢问一些别人没有想到的问题。（   ）
50. 无论在家里还是学校，我总是喜欢做许多有趣的事。（   ）

（二）评分方法

威廉斯创造力倾向测验共有50道题，包括冒险性、好奇性、想象力和挑战性四项；测试后可得四项分数，加上总分，可得五项分数。分数越高，创造力水平越高。

冒险性包括1，5，21，24，25，28，29，35，36，43，44等11题。其中，29，35为反向题目。记分方法如下：正向题目，A记3分，B记2分，C记1分；反向题目，A记1分，B记2分，C记3分。

好奇性包括2，8，11，12，19，27，32，34，37，38，39，47，48，49等14题。其中，12，48为反向题目。记分方法如冒险性。

想象力包括13，14，16，20，22，23，30，31，32，40，45，46等13题。其中，45为反向题目。记分方法同前。

挑战性包括3，4，7，9，10，15，17，18，26，41，42，50等12题。其中，4，9，17为反向题目。记分方法同前。

第三节 创造性思维的理论内涵

一、创造性思维概述

（一）思维和创造性思维

思维是客观实体在人脑中概况的、间接的反映。思维过程是以概念、判断和推理等形式反映客观世界的能动过程。所以，思维是以取得的知识材料为中介去认识问题或解决问题。根据已有的知识材料，经过加工后做出的结论或认识的活动，就是思维活动。

创造性思维是相对于一般性思维而言的，它是在创造活动中应用新的方法或程序创造新的思维产品的思维活动。创造活动是创造性思维产生的基础。同时，创造性思维所产生的新思想和新观念，对创造性活动的进行起着指导作用。

根据心理学家的研究，创造性思维是集中思维和发散思维集合的产物。集中思维又叫辐合思维、求同思维、封闭思维或硬思维，它是探求事物共性或在众多的方案中选择一个最佳方案的思维形式。发散思维又叫求异思维、扩散思维、开放思维或软思维，它是从多方向、多角度、多层次展开的一种指向多种可能答案的思维。没有发散思维，思维活动就不可能有所创造；仅有发散思维，也不可能选择到最合理的设计方案。所以，在一项创造活动中，人们须从发散思维到集中思维，又从集中思维到发散思维，经过多次循环往复才能形成新思想。

创造性思维的主要内容为形象思维、联想思维、直觉、灵感、逆向思维、侧向思维、发散思维和集中思维。

（二）创造性思维的特点

一般认为，创造性思维具有想象丰富、观察敏锐、灵感活跃、表述新颖以及求异性和潜在性的特点。

1. 想象丰富

想象是创造性思维的重要特征。对想象在发明创造中的作用，爱因斯坦曾有过深刻的论述。他说："想象力比知识更为重要，因为知识是有限的，而想象即包括世界上的一切。"想象是人类探索自然、认识自然的重要思维形式，可以说，没有想象就不会有创造。

2. 观察敏锐

创造性思维需要敏锐的洞察力去观察和接触客观事实，并不断地将事实与已知知识联系起来进行思考，从而科学地把握事物之间的相关性、重复性及特异性并加以比较，为之后的发明创造提供真实可靠的依据。因此，要特别留心意外现象，通过对意外现象的分析，进一步探索创造活动的新线索，促使创造活动早日成功。

3. 灵感活跃

灵感是一种突发性的心理现象，是其他心理因素协调活动中涌现出的最佳心理状态。处于灵感状态中的创造性思维，表现为人们注意力高度集中、想象活跃、思维敏锐和情绪异常激昂。灵感既是创造性思维的重要一环，也是发明创造成功的关键一环。

4. 表述新颖

新颖的表述是由创造性思维的本质决定的。新颖的表述反过来又可以更好地反映创造性思维的内容，从而加强新观点、新设想、新方案和新规则的说服力与感染力。

5. 求异性

人类在认识事物的过程中，特别关注客观事物间的不同性和特殊性，特别关注现象与本质、形式与内容之间的不一致性。这种心理状态常表现为对常见的现象和已有权威结论的怀疑和批判，而不是盲从和轻信。创造性思维的求异性一般通过发散思维、转换思维和逆向思维表现出来。

6. 潜在性

潜在性是一种不自觉的、没有进入意识领域内的思维特性，它与一般思维的不同之处往往被人忽略。其实，潜在性思维往往在解决许多复杂问题中起着极为重要的作用。实践证明，只有在一定放松的环境中，创造性思维才容易贯通。因此，娱乐与消遣常常是灵感的源泉。

（三）创造性思维的品质

1. 思维的广阔性

思维的广阔性是指思维的全面性。人们在认识问题和处理问题时，不要把视线只盯在一点、一线、一面上，而要扩展思维的空间范围，并进行全方位的观察和思考。

2. 思维的深刻性

思维的深刻性表现在善于深入钻研问题，能从纷繁复杂的现象中抓住事物的本质和核心，揭示事物变化与发展的根本原因。

3. 思维的独创性

思维的独创性是指独立思考和解决问题的程度。善于独创的人，不但不迷信、不盲从，而且不满足于现成的方法和答案，善于找到自己的答案，并表现出果断、坚定和自信的特征。思维的独创性以思维的批判性为前提，没有优秀的批判思维，就不会有很高的独创性。

4. 思维的灵活性

思维的灵活性是指善于随机应变，依据事物发展变化的具体情况及时提出各种不同的思维和假设方案，同时还能及时地纠正自己的思维，调整自己的认识偏差。

5. 思维的敏捷性

思维的敏捷性是指能够迅速地对外界刺激物做出反应。表现在善于抓住时机,加快对信息的吸收、筛选和运用。

6. 思维的预见性

思维的预见性是指不论做什么事情都要着眼于未来,考虑到目标和战略。办事时,不仅要讲究眼前利益,而且要为子孙后代造福。着眼未来与立足现实是辩证统一的。

(四)创造性思维的过程

创造性解决问题比解决一般性问题有着更为复杂的心理活动过程,因此在它的运行中又有独特的思维活动程序和规律。英国心理学家 G. 华莱士通过对创造过程的分析,提出了创造性思维的四阶段理论,并把与创造活动相联系的创造思维过程分为准备阶段、酝酿阶段、豁朗阶段和验证阶段。

1. 准备阶段

准备阶段是在创造活动之前,围绕要解决的问题,收集以往的资料,积累知识素材及他人解决类似问题的研究资料的过程。这个阶段的准备工作做得越充分,收集的资料越丰富,越有利于开阔思路,进而使思路受到启发,发现和推测出问题的关键,并迅速理清思路、明确方向、解决问题。因此,在这一阶段,应努力创造条件,广泛收集资料,有目的、有计划地为所规划的项目做充分的准备。为了使创造性思维得以顺利展开,不能将准备工作只局限于狭窄的专门领域,而应当有广博的知识和技术储备。

2. 酝酿阶段

酝酿阶段是在积累了一定知识经验的基础上,在头脑中对问题和资料进行深入地分析、探索和思考,力图找到解决问题的途经和方法的过程。这一阶段从表面上来看没有明显的思维活动,创造者的观念仿佛处于"冬眠"状态,但事实上思考仍在断断续续地进行着。这个时候在创造者的意识中可能对该问题已不再去思考,转而从事或思考其他一些无关的问题,但在不自觉的潜意识中,问题仍然存在,当受到一定刺激的作用,又会转入意识领域。例如,日间苦思不解的问题,夜间睡眠时忽然在梦中出现。可见,创造性思维的酝酿阶段多属潜意识过程,这种潜意识的思维活动极可能孕育着解决问题的新观念和新思想,一旦酝酿成熟就会脱颖而出,使问题得到解决。

3. 豁朗阶段

酝酿阶段是经过充分的酝酿之后，在头脑中突然跃现出新思想、新观念和新形象，使问题有可能得到顺利解决的过程。在这一阶段中，百思不得其解的问题，意想不到地闪电般迎刃而解，头脑似乎从"踏破铁鞋无觅处"的困境中摆脱出来，有一种"得来全不费工夫"的感觉，并显示出极大的创造性。这是对问题经过全力以赴的刻苦钻研之后所涌现出来的科学敏感性发挥作用的结果。这种现象称为"灵感"或"顿悟"。在许多科学家的发明创造过程中都曾有过这种类似的现象。

4. 验证阶段

验证阶段是在豁朗阶段获得了解决问题的构想或假设之后，在理论上和实践上进行反复检验，多次补充和修正，使其趋于完善的过程。这个阶段，或从逻辑角度在理论上求其周密、正确；或是付诸行动，经观察实验而求得正确的结果。在验证期，创造者需要经过无数次的存优汰劣，才能使创造结果达到完美的地步。

二、创造性思维培养的原则

1. 整体性原则

人的心理是一个复杂的系统，重视心理系统的整体效应，是培养创造性思维的重要原则。只有从整体出发，运用系统思维的方法，才能真正地把握创造性思维的发展规律。

2. 结构性原则

知识结构和认知的协调发展是培养创造性思维的重要途径。认知结构一旦形成，便具有很大的能动性，影响着学生对新知识的接受和理解能力，制约着知识的加工和运用，也制约着学生对创造性思维的学习以及对其创造性思维能力的培养。

3. 自主性原则

自主性就是成为创造性学习和活动的主人。在创造性活动中要培养自我组织管理能力和自我调控能力，自主性原则是不可缺少的指导原则。

4. 探索性原则

创造是走前人没有走过的路，解决前人没有解决的新问题。不敢探索、不会探索的人是很难开拓新局面的。想成为勇于探索的人，就要鼓励自己质疑问题，自拟探索计划，通过自己的独立思考解决问题，发展创造性思维能力。

5. 活动性原则

人的心理是人在与环境的交互作用中发生、发展起来的。要会利用多种感官进行观察，确立创造的目标，选择思维的材料和方法；要提出假设，做出决策，制定创造的计划；还要考虑如何与他人合作等来发展创造性思维能力。

6. 多样性原则

多样性是指让创造个性自由地发展。爱因斯坦指出："由没有个人独创性和个人志愿的统一规格的人所组成的社会，将是一个没有发展可能的不幸的社会。"个性多样性的本质在于个性的独创性，社会的发展和个性的独创性是相互作用的。

三、学生创造性思维的培养

1. 培养学生的观察力

一个人只有善于观察，才能善于创造。培养学生的创造性思维，应当从培养学生的观察力入手，这是由于学生认识世界的主要途径是凭借观察。在培养学生观察力时要注意：①观察前要使学生明确观察的目的、任务，使其注意力集中在观察对象上。②培养学生观察的技能和方法，尽量让学生多种感官参与活动。③培养观察的兴趣，养成良好的观察习惯，培养观察的主动性和自觉性。

2. 丰富学生的知识

任何发明创造都是人们在学习和掌握前人积累的知识经验的基础上产生的突破。贝弗里奇说，"在其他条件相同的情况下，我们的知识宝藏越丰富，产生重要设想的可能就越大。此外，如果具有有关学科或边缘学科的广博知识，那么独创的见解就更可以产生"。所以说，知识是培养创造性思维的基础。在教学过程中，要培养学生的创造性思维能力，必须丰富学生的知识。具体来说，一是知识的数量丰富；二是知识的质量提高；三是知识新颖；四是具有健全的知识层次；五是合理的知识结构。

3. 增强学生的好奇心

好奇心是对新异事物进行探究的一种心理倾向，是推动人们主动积极地观察世界，开展创造性思维的内部动因。好奇心是学生探索活动的前导和创造性思维发展的起点,要珍惜和满足他们的好奇心,使好奇心逐步由不切合实际到切合实际,由对事物外部的好奇发展到对事物内部的好奇,这对培养学生的创造性思维是非常有益的。

4. 激发学生的灵感

灵感是创造性思维活动中出现的一种复杂的心理现象,是在注意力高度集中、意识极度敏锐的情况下,长期思考的问题突然迎刃而解进而迸发的思想火花。它是长期艰苦思索的结果。学生创造性思维的产生往往需要经历一个曲折的过程。其中,既有长期的知识准备和积累,也有短时间的攻关和突破;既有经久的沉思,也有一时的灵感。

5. 锻炼学生的意志

创造性思维是艰巨的、精细的心理活动,要求智力的高度紧张,需要投入大量的时间和精力,并付出紧张的劳动代价。同时,探索新领域失败的次数是未知的、无数的。因此,没有百折不挠的坚强意志是做不到的。创造性思维又具有持久性,要取得成果必须经过持久的意志努力。学生在创造性思维的过程中,必然会遇到很多困难,要使创造性思维进行下去,并取得成功,就需要意志的力量。创造意志需要经过长期的、反复的磨炼。

四、创造性思维的训练

创造性思维测试,主要是从思维的流畅性、灵活性和独特性来评定的。因此,加强学生创造性思维的训练,应从以下三个方面做起:

(一)扩散思维训练

扩散思维是创造性思维的主要成分。通过一些有效的方法,对学生进行灵活新颖的扩散训练,有利于开发学生的创造性思维。扩散思维训练主要采取以下方法:

1)材料扩散。以某个物品为扩散点,设想它的各种用途。如回形针的用途——在一起作发夹用,代替领带的别,拉开一端可以用来穿扎、画图、写字等。

2)功能扩散。以某种事物的功能为扩散点,设想出获得该功能的各种可能性。如怎样达到照明的目的——点油灯、开电灯、点蜡烛、用镜子反射太阳光、划火柴、开打火机、打手电筒、点火把等。

3）结构扩散。以某种事物的结构为扩散点，设想出利用该结构的各种可能性。如尽可能多地说出含有该结构的东西的名称并画出——刚出山的太阳、乌龟、酒杯、眼镜、圆形的门、伞、草帽等。

4）形态扩散。以事物的形态为扩散点，设想出利用某种形态的各种可能性。如利用红颜色可做什么、办什么事——红灯、红旗、红墨水、红星、红印泥、口红等。

5）方法扩散。以人们解决问题或制造物品的某种方法为扩散点，设想出利用该种方法的各种可能性。如用"吹"的方法可以解决的问题——吹气球、吹灭烛火、吹肥皂泡、吹笛子、把热茶吹凉等。

6）组合扩散。从某事物出发，以此为扩散点，尽可能多地设想与另一事物联结具有新价值的各种可能性。如钥匙圈可同哪些东西组合在一起——同小刀组合、同指甲剪组合、同纪念章组合等。

7）因果扩散。以某事物发展结果或起因，设想出这一结果的原因或这一原因可能产生的结果。如推测"玻璃杯碎了"的原因——手没抓住掉落到地上碎了、冬天冲开水爆碎了、被物体被撞倒砸碎了等。

8）语词扩散。说出一个词，让自己连接或造不同的句子，组成更多的词或句子。如学生——生活——力量——表扬——扬帆——帆船；用"大楼"一词造句，如"这座美丽的城市大楼林立""我家住在百货大楼旁边"等。

（二）摆脱习惯性思维训练

习惯性思维有时可能阻碍我们的思路，想不到那个本来应该想到的问题，或者思路进入岔道，找不到正确的答案。摆脱习惯性思维的训练，被人称为"创造性思维的准备活动"。其真正意义是促使人们探索事物存在、运动、联系的各种可能性，从而摆脱思维的单一性，以免陷入某种固定不变的思维框架，使思维具有流畅、变通、灵活和独创等特性。

（三）缺点列举训练

缺点列举是一个极为重要的创造技法。对某事物存在的某个或某些缺点产生不满，往往是创造发明的先导。只要把列举出来的缺点、想法加以克服，就能有所发明、有所创造。例如，尽可能多地列举出玻璃杯的缺点：易碎、较滑、盛了开水时手摸上很烫、有小缺口会划破手、活动带在身边不方便等。

（四）愿望列举训练

人们对美好愿望的追求，往往成为创造发明的强大动力。例如，人们希望烧饭能自动控制，结果就发明了"电饭锅"。愿望列举就是对某个事物的要求——"如果是这样就好了"之类的想法列举出来。它不同于缺点列举，因为缺点列举是不离开物体的原型，提出积极的希望比仅仅是克服缺点可能会产生更好的创意。例如，怎样的电视机才理想，写出你的愿望：看起来像立体的、具有每个人都可以分开看的装置、想看的频道节目会自动出现、能看到全世界的节目等。

（五）想象训练

训练想象力是培养和发挥创造性思维的一种较好的方法。它能帮助人们从固定化的看法、想法中解放出来，使人们在思考、解决问题的过程中，学会大胆想象，敢于"异想天开"，创新进取。

思 考 题

1. 创造的层次包括哪些？
2. 影响创造力的因素有哪些？
3. 以小组的形式对某一问题进行头脑风暴法并探究其解决办法。
4. 用威廉斯创造力倾向测试自己的创造力倾向。
5. 请谈谈培养创造性思维的过程。
6. 请谈谈如何进行创造性思维训练？

第二章

创新创业的思维内涵

课程目标

了解创新创业、创新及创业的概念；

掌握创新创业与创造性思维的逻辑关系；

认识创新创业与创造性思维的属性与关系；

熟悉创新和创新创业优、劣势在政策上的导向。

重点难点

教学重点：创新创业与创造性思维的属性与关系。

教学难点：创造性思维与创新创业的逻辑关系。

案例导入

希尔顿酒店创始

著名的希尔顿酒店创始于20世纪20年代。当初，创始人希尔顿在达拉斯商业街上漫步，他发现这里竟然没有一家像样的酒店，于是萌生了在这里建成一家高级酒店的想法。

希尔顿是一个创造力与行动力都很强的人，想到就去做。他很快就看中一块"风水宝地"。酒店属于典型的服务业，对于这个产业来说，影响最大的因素就是地段。选择一个好的地段，即使初始投资较大，也会很快在后续的有利经营中收回。所以，希尔顿决定买下这块地。

这块地出让价格为30万美元，而他眼下可支付的资金仅有5000美元。

况且，解决地皮之后，还要筹集大量的建设资金。因此，表面上来看，这个项目显然是不可行的。

但希尔顿并没有放弃，他把这个难题进行了分解。首先，他把30万的地皮费用分解到每年每月。他对土地拥有人说："我租用你的土地，首期90年，每年给你3万美元，按月支付，90年共支付270万美元，一旦我支付不起，你可以拍卖酒店。"对方感到占了个大便宜，于是很快就签订了土地租赁协议。

在签订土地租赁协议之后，希尔顿随即将自己开酒店的方案以及诱人的经营远景讲给投资商听，很快便与一个大投资商达成协议，合股建设酒店，酒店如期建成，经营效益也超出先期预料，获得了巨大成功。从此，希尔顿走上了世界级酒店大王之路，一度跻身全球十大富豪之列。

在上述案例中，希尔顿先以经济为线索，以时间性为切入，对租金问题进行了分解法再思考，用现有的有限资金作为签订协议的资本，将未来的项目利润作为履约资本。接着，他又以经济为线索，以结构性和利益性为切入，把自己的协议权用智慧放大为股份资本，将建设资本压力变成另一位投资者的投资动力，解决了全部建设资本。

（资料来源：逍遥右脑记忆）

第一节　创新创业概述

我们正处在一个充满机遇和生机的时代。在漫长的历史长河中，从来没有哪个时代像今天一样，不断为创业者提供如此广阔的发展平台和空间。党的十八大提出，要贯彻鼓励创业的方针，并强调要引导劳动者转变就业观念，鼓励多渠道、多形式就业，促进创业带动就业，做好以高校毕业生为重点的青年就业工作。由于政策环境的支持，使我们赶上了一个新的经济大发展时期。

当今社会，信息、科技日新月异，其发展程度呈现出指数级爆炸式增长态势。互联网急速地推动了它们的传播，同时，各种创业资源和元素组合千变万化，它们所影响的行业所需的各种资源的组合方式在不断更新，造就了无限商机。中小型企业以其投入资金较少、管理高效、改革创新迅速等特点，在当前的经济形势中如雨后春笋般林立，创造了无尽的商业价值，为社会提供了大量的就业机会。这是一个大众创业、万众创新的新时期。

一、创新创业的概念

所谓创新，是指以现有的思维模式提出有别于常规或常人思路的见解为导向，利用现有的知识和物质，在特定的环境中，本着理想化需要或为满足社会需求而改进或创造新的事物、方法、元素、路径、环境，并能获得一定有益效果的行为。

所谓创业，是指个人或者团队发现机会，运用现代新兴科技、管理技术、网络技术等专业技术能力，通过整合资金、人才、技术等现有资源，投入生产运营，进行价值再创造的行为过程。

创新创业的本质内涵包括以下几个方面：

1. 促进技术价值转化为经济价值

创业思路和创业项目通常来源于生活中的现实问题、创造发明、竞争、新知识和新技术等。这些创业商机蕴含着一定的技术价值，并且拥有在一定的时间和空间条件下，存在于客观环境中的一种未被别人发现或未被满足的价值，具有潜在增长性、一定模糊性、较高回报性的特征；经过创业过程，开发其技术价值，投入生产运营，就能将社会的无形技术价值转化为实实在在的经济价值，创造新的社会财富，推动技术的改革创新及其发展。

2. 促进社会资源合理配置

创业过程实质上就是把商业机会转化为商业价值的过程，其间伴随的创业活动就是整合和配置各种资源。创办的企业要生存和发展，必须合理有效地整合自身能够利用到的各种资源。因此，创业行为过程将激活社会资源的流动性，并使社会资源向经营良好、效率更高的企业流动，从而促进市场的良性发展，促使社会资源合理配置，以使其产生更高的社会经济效益。

3. 实现人生价值

创业行为本身就是实现自身梦想和愿景的功能性过程。每一位创业者在创业初期，无一不是怀揣着高涨的激情和巨大的勇气开始自己的创业之路的。面对瞬息万变的市场环境，创业者需要通过自己的聪明才智，发挥自身能力，挥洒汗水，付出时间和精力，及时有效地应对创业过程中遇到的各种困难。创业者要提出可操作性强、切实可行的方案，努力高效地推进自身创业项目。在推进创业项目的过程中，创业者付出的所有努力和获得的回报，都能给他们带来自我人生价值实现的愉悦感，达到马斯洛需求层次论中的社交需求、尊重需求和自我实现需求的满足。

4. 推动社会进步

创业往往伴随着激活市场活力、引入新技术、创品牌、增品种和提品质等经济活动。成功的创业企业要善于利用外部资源、合理组建和优化管理团队、完善和提升企业文化内涵，使创业活动有序发展、持续进行，带动区域经济发展，创造更多的社会经济价值，在文化、经济、科技等领域内为经济社会发展贡献力量。

二、创业的要素与类型

1. 创业的三大要素

创业机会、创业资源和创业文化共同构成创业的三大要素。

（1）创业机会是一切创业行为的出发点

创业机会必须包含商业价值，它是一种特殊的商业机会，比一般的商业机会更具创新性甚至创造性。这种创新行为，能为社会带来更大的价值。同时，创新性强的创业机会是形成竞争优势的源泉，能够助力创业活动取得成功。

（2）创业资源包括创业启动资金、核心专业技术和人才

创业启动资金在创业初期对于应对创业风险具有决定性作用，因此在创业初期，具有足够的融资能力是后续创业行为的运行保障。创业核心专业技术是创业行为的核心竞争力，能够在当今大浪淘沙的经济浪潮中生存和发展的企业，无论是大型企业还是中小微型企业，无一不是拥有具有竞争力的核心专业技术。普通的商业模式和商业技术已经无法适应当今瞬息万变的经济发展态势。创业人才是创业行动的"发动机"，创业从想法到行动再到发展，离不开由人才组成的创业团队，创业团队的人力资源开发和管理等行为是否合理，直接关系到人才的去留和人才聚集效应的发挥，决定着创业活动的成功与可持续发展。

（3）创业文化是企业文化的雏形

创业团队在创业过程中不断反复总结创业经验，凝聚沉淀为创业环境内部氛围。它是创业团队的灵魂所在，是企业战胜外部环境挑战的法宝，也是时代发展的缩影。因此，创业企业要在创业活动过程中不断积淀内部文化、提升企业形象，形成独具一格的企业文化，厚植企业软实力。

2. 创业的类型

创办企业的形式各有不同，商业模式也各有千秋，从不同的角度对其进行分类，主要有以下几种分类形式：

（1）按创业目的可分为机会型创业和谋生型创业

机会型创业是创业者发现市场创业商机，为抓住市场机遇而进行创业活动的类型。它一般是开发市场潜在需求，为适应区域经济发展需要，以实现商业机会价值以及自身人生价值为目的而进行的创业活动，有重开创而轻获利的特征。谋生型创业是创业者受客观环境因素影响，为谋生而选择跟随和模仿其他企业，其出发点来源于对自身经济现状改变的需求，有重获利而轻创造的特征。

（2）按创业者数量可分为独资型创业和合伙型创业

独资型创业是创业者独自出资、独自经营的创业类型。其创办的企业是中小微型企业的雏形，其资产以及生产资料归个人所有，创业者拥有所创办企业的最高管理权，劳动主体是雇佣劳动者，追逐的是私人利润。独资型创业常见于服务行业，此类型企业对市场反应迅速，能及时拾遗补缺，具有填补市场、方便生活、加快流通的作用。合伙型创业由两个人以上的创业者合力创办，包括家族式合伙型创业、普通个人式合伙型创业和法人合伙型创业三类。家族式合伙型创业是由父母、夫妻、兄弟等亲戚通过共同出资或出技术等方式合伙创业，具有强大的凝聚力，能够集中力量深度发展，但同时也具有很大的排外性，不利于企业人力资源的开发；普通个人式合伙型创业指的是两个以上的自然人共同投资兴办并联合经营企业；法人合伙型创业指的是两个以上的企业法人、事业法人共同出资兴办并联合经营企业。

（3）按创业基础可分为依附型创业、模仿型创业和开创型创业

依附型创业是创业者的创业行动依附于成熟企业的某一运营或者生产链的创业类型，其从事的是配套和产品加工等创业活动。模仿型创业是创业者模仿成熟企业的商业模式、运营模式和销售模式等进行的创业行为。不同的是，模

仿型创业所提供的产品或者服务要质量更高、价格更低等，不然无法在市场上胜出。开创型创业是指所提供的产品或者服务具备独一无二性，能够填补市场空白，引领经济社会发展。

（4）按创新内容可分为产品创新型创业、组织管理创新型创业和营销模式创新型创业

产品创新型创业是创业者对专业技术能力、工艺的创新，对消费者群体的潜在需求进行市场开拓的创业行为。由于市场没有此类产品或者服务，因而这类创业具备强有力的竞争力。组织管理创新型创业是所创办的企业在管理制度上采取了有别于其他企业内部组织管理类型的创业。高效而创新的组织管理体系使企业内部管理上行下效，节约了内部管理成本，降低了企业管理耗能，使组织管理和规模得到良好的发展。营销模式创新型创业是从销售环节进行开创型的创新，目的是通过使消费者得到更好的购买体验来赢得市场，进而提升创业企业的竞争力。

三、创新的内涵与表现

1. 创新精神的内涵

创新精神是创业者在进行创业行动过程中富有开创性的思想、强大的创办信念和坚强的意志力等品质所综合体现出来的行为特征的总和，主要表现为良好的信誉和人品，具有吃苦耐劳、执着坚忍、团结合作的精神等。

创新精神形成和发展的主要影响因素来自创业者在伴随企业成长过程中受到的文化环境、产业环境、制度环境和生存环境等方面的影响，这些对创业者的创业态度和行为方向及其强度有着决定性作用。优秀的创业精神能发挥巨大的力量，使个人、企业乃至区域和国家面对错综复杂的竞争环境能够披荆斩棘、战胜困难，有益于国家或地区经济的健康发展。

2. 创新精神的表现

（1）良好的信誉和人品

面对残酷的市场竞争和瞬息万变的市场环境，在没有雄厚创业资本的创业初期，除了拥有核心竞争力的专业技术外，创业者只有依靠自己的人格魅力才能吸引优秀人才的跟随，才能获得风险投资家们的青睐。良好的信誉、一诺千金的信用、优秀的创业品质，能为创业者提供无形的影响力和竞争力。具备优

秀创业精神的创业者们，无一不是体现着其良好的信誉和人品。

（2）吃苦耐劳

吃苦耐劳是中华民族的优秀传统美德，具有优秀创业精神的创业者，在艰难的创业过程中，他们精心地维持着所创办企业的生存和发展，不怕吃苦、不畏困难。

（3）执着坚忍

面对残酷的市场竞争压力和企业的生存压力，以及来自生活方方面面的压力均会使创业者面临巨大的挑战，创业过程中伴随着无数的艰难和曲折。具有优秀创业精神的创业者无论前方有多少险阻，他们都能够坚持不懈，执着地追求自己的目标和信仰。

（4）团结合作

具有优秀创业精神的创业者必须是重视团队合作的人，群策群力才能各自补齐短板；善于创建优秀团队文化的创业者必定是受员工爱戴的领导者，也是具有人才发展战略眼光的领袖。

四、创造性思维与创新创业的逻辑关系

创造性思维是逻辑思维和非逻辑思维的统一。逻辑思维和非逻辑思维是创造性思维中不可缺少的两个组成部分。在创造性思维作用中，逻辑思维与非逻辑思维虽然彼此不可代替，但互相补充，互相渗透。如非逻辑思维中直觉思维可以在瞬时之间认识到事物的本质及其规律性，省却许多中间环节，高效率地解决问题。但这种直觉思维的缺陷是偶然性太强，结论是或然性。逻辑思维可以对事物进行严格的科学推理，能够有把握地认识事物的本质和规律，结论可靠。其缺陷是中间环节太多，不能得到瞬时效果。非逻辑思维的优点正好是逻辑思维的缺陷，非逻辑思维的缺陷正好是逻辑思维的优点。二者结合起来，可成为比较完整的思维。所以说，创造性思维是逻辑思维和非逻辑思维的辩证统一。

对于创造性思维来说，仅仅有扩散性思维还不够，还必须有集中性思维的配合。集中性思维主要的功能是求同，它的特点是小心求征，寻求唯一正确答案。在思维过程中，它对信息进行抽象、概括、推理、判断和比较，使之朝着一个方向聚敛集中，形成一种答案。集中性思维对人们认识事物的本质，揭示客观规律有重要作用。科学应深入本质，而深入本质，求佳创优不能不使用集中性

思维。扩散性思维可以为解决问题提出许多方案、设想和办法。但是这些方案、设想和办法决不会都是最有价值、最正确或最理想的，因而不能不通过比较、评价有所取舍和有所选择。选择的过程就是集中性思维的过程。例如，牛顿在发现万有引力定律的过程中，他运用扩散性思维提出了好几种可能的答案，但在几种答案并存时，正是牛顿感到困惑、上下求索的时候。当他通过长期研究、大量艰苦实验，运用集中性思维做到了"去伪存真"时，他才真正地认识了事物的本质，发现了万有引力定律。在牛顿上下求索、去伪存真的过程中，集中性思维起到了关键性作用。

在思维活动中，显意识和潜意识又是相互协调、相互转化的。当人们把心力集中在所研究的信息或问题上时，便会在大脑皮层上形成兴奋中心，在兴奋中心范围内，已有的经验和知识通过显意识活动进行分析和综合来探求问题的答案。但是，长期的紧张工作使兴奋中心一旦被抑制，就会引起该中心周围皮层细胞兴奋，这时储存在潜意识中的潜沉信息就有可能在外界偶然因素的刺激下，导致一部分潜意识转化为显意识，从而扩大信息来源。这时人们凭借其直觉能力，常常能触类旁通地捕捉其中最有价值的一个信息。在显意识状态下解决不了的问题，有可能在潜意识转化后得到解决。这是因为在显意识中不能组合的信息能在潜意识中形成组合块。

TRIZ 理论解决创新性问题的思路在于它采用科学的问题求解方法，具体办法就是将特殊的问题归结为 TRIZ 的一般性问题，然后应用 TRIZ 带有普遍性的创新理论和算法寻求标准解法，在此基础上演绎形成初始问题的具体解法。这种从特殊到一般的方法，充分体现了科学的问题解决思想，富有可操作性，为计算机环境下的创新工作提供了重要的理论与方法基础。

创造性思维的本质就是逻辑思维和非逻辑思维的统一，是扩散性思维和集中性思维的统一，是潜意识和显意识的辩证统一。创造性思维过程是多种思维的组合过程，是多种思维的优化组合，是多种因素系统的综合统一体，是多种思维的多方面协调、平衡和和谐。总而言之，综合就是创造性思维。

第二节　创新创业成功、失败及政策引导

大学生创业者群体是一群具有鲜明特点的创业群体。他们普遍缺乏实践经验和创业资金，但他们拥有激情、梦想、知识和活力；他们情绪多变使得创业决策易受影响，却敢于竞争不甘人后；他们坚持到底的毅力有限，但是直觉敏锐，对市场变化洞若观火。大学生创业者充满着无限的潜力。

国家和各级政府为鼓励大学生自主创业，出台了一系列有利于大学生自主创业的政策，这就为有志于成就一番事业的大学生提供了一个发挥其聪明才智的广阔空间和施展拳脚的大舞台。创业政策包括中央政策和地方政策两大类，中央政策在全国通用，地方政策由各地政府制定，政策实施仅限当地。

一、创新创业成功应具备的要素

1. 直觉敏锐

大学生运用各种新媒体接触网络信息的程度较深，接收信息的范围和能力是各类年龄人群中最强的；富于奇思妙想的他们思维活跃，机巧灵敏，对市场信息的反馈触类旁通，能快速反应，促进创办企业的不断修整以适应市场发展的变化。

2. 追求创新

朝气蓬勃的大学生在创新意识方面的天赋是特有而优秀的，他们不倾向于跟随他人千篇一律的商业模式。不甘于人后的拼搏精神会引导他们发挥创新的优秀天赋，在市场中占得先机，通过不走寻常路来发展自己的企业。

3. 敢于竞争

用"初生牛犊不怕虎"这句话来形容大学生创业者的创业风格再合适不过了。大学生创业者视野广阔，思维活跃，敢于直接面对各种各样的问题。他们敢于面对各种类型的困难和挑战的原因，并不是因为他们拥有多少人生经验和社会阅历足以去解决这些问题和困难，而是因为他们没有那么多千丝万缕的衡量。敢于动手和尝试解决问题的特点，以及不服输的普遍个性，使大学生创业

者在面对市场竞争的洗礼中坚守自己的事业，并使之蓬勃发展。

4. 知识更新学习

虽然大学生创业者在初入社会前的社会经验是不够的，专业技术能力也是有缺失的，但是大学生创业者有别于其他类型创业者的最大区别之一就是知识更新学习速度是最快的，他们接受新知识的能力极强，他们善于利用互联网学习新知识。互联网的发展，信息数据的大爆发，使大学生创业者能够在互联网上寻找一切知识，并吸收转化成自己需要的能力，使他们始终拥有最新的市场信息和技术信息，为其创业保驾护航。

二、创新创业失败的表现

1. 缺乏坚持到底的忍耐心，容易放弃

大学生在创业过程中，虽然他们善于运用自己所学进行创业分析，但是他们缺乏长远经营的眼光，加之对于创业项目的急功近利，导致他们很难承受创业初期的艰难；父母趋向稳定高定位的职业，经常督促他们终止创业进行就业；身边同学的就业回报率比创业回报率高，在对比中会影响他们的判断。总而言之，创业过程中遇到的各项阻力，以及周围环境氛围的影响，都会让初入社会的大学生创业者产生各种不确定性因素的考虑。他们由于社会实践经验不足，极易因众多压力而放弃创业行动。

2. 决策缺乏市场调查基础，决策过程易受情绪影响

大学生创业者很多是终日忙于学生工作或者商业活动相关的锻炼过程中，理论知识学习较弱，公司决策都是他们根据自己有限的阅历在主观意愿下进行的，决策缺乏对市场基础的了解和调查。加之他们缺乏丰富的人生阅历，社会经验有限，长期处于大学象牙塔之内，始终处于学校以及父母的保护之下，因此面对残酷的市场竞争，接触形形色色的社会人，会让其承受很大的心理压力，加之对情绪方面把控能力较弱，往往在创办企业过程中，会因为情绪、情感问题影响创业决策，极易导致所创办的企业处于风雨飘摇的境地。

3. 受眼光局限，缺乏大局观念

创业不是简单的商品买卖，更不是简单地提供有偿服务，它是中小微型企业发展的雏形。虽然商业的本质是资金的流入和流出，但是想要生存并长期发展下去，离不开大学生创业者未雨绸缪的规划，而大学生创业者在创业意识和

创新管理等方面的全局考虑尚有欠缺、经验方面普遍存在不足，在投入创业的过程中很容易着眼一处而忽略整体。另外，很多创业者团队在内部合作或者和其他创业团队合作的过程中，只在乎己方收益，忽略长远的战略合作精神，做出破坏团队的行为，导致创业团队在创业伊始有所起色时就出现矛盾。

4. 资金周转能力差

大学生创业者在创业初期缺乏合理运行资金的能力，对启动资金的使用没有合理规划，对回报率缺乏清晰的把握，从而造成创业初期企业长时间处于少收益或零收益状态。

三、创新创业政策

1. 企业注册登记方面

凡高校毕业生（毕业后两年内，下同）申请从事个体经营或申办私营企业的，可通过各级工商部门注册大厅"绿色通道"优先登记注册。其经营范围除国家明令禁止的行业和商品外，一律放开核准经营。对限制性、专项性经营项目，允许其边申请边补办专项审批手续。对在科技园区、高新技术园区、经济技术开发区等经济特区申请设立个私企业的，特事特办，除了涉及必须前置审批的项目外，试行"承诺登记制"。申请人提交登记申请书、验资报告等主要登记材料，可先予颁发营业执照，让其在3个月内按规定补齐相关材料。凡申请设立有限责任公司，以高校毕业生的人力资本、智力成果、工业产权、非专利技术等无形资产作为投资的，允许抵充40%的注册资本。

2. 税收方面

国家在大学生创业优惠政策中对于税收方面做出了以下规定：

1）凡高校毕业生从事个体经营的，自当地工商部门批准其经营之日起1年内免交税务登记证工本费。

2）新成立的城镇劳动就业服务企业（国家限制的行业除外），当年安置待业人员（含已办理失业登记的高校毕业生，下同）超过企业从业人员总数60%的，经相关主管税务机关批准，可免纳所得税3年。劳动就业服务企业免税期满后，当年新安置待业人员占企业原从业人员总数30%以上的，经相关主管税务机关批准，可减半缴纳所得税2年。除此之外，具体不同的行业还有不同的税收优惠：

①大学毕业生创业新办咨询业、信息业、技术服务业的企业或经营单位，提交申请经税务部门批准后，可免征企业所得税2年。②大学毕业生创业新办从事交通运输、邮电通信的企业或经营单位，提交申请经税务部门批准后，第1年免征企业所得税，第2年减半征收企业所得税。③大学毕业生创业新办从事公用事业、商业、物资业、对外贸易业、旅游业、物流业、仓储业、居民服务业、饮食业、教育文化事业、卫生事业的企业或经营单位，提交申请经税务部门批准后，可免征企业所得税1年。

3. 企业运营方面

（1）员工聘请和培训享受减免费优惠

对大学毕业生自主创办的企业，自工商部门批准其经营之日起1年内，可在政府人事、劳动保障行政部门所属的人才中介服务机构和公共职业介绍机构的网站免费查询人才、劳动力供求信息，免费发布招聘广告等；参加政府人事、劳动保障行政部门所属的人才中介服务机构和公共职业介绍机构举办的人才集市或人才、劳务交流活动给予适当减免交费；政府人事部门所属的人才中介服务机构免费为创办企业的毕业生、优惠为创办企业的员工提供1次培训和测评服务。

（2）人事档案管理免2年费用

对自主创业的高校毕业生，政府人事行政部门所属的人才中介服务机构免费为其保管人事档案（包括代办社保、职称、档案工资等有关手续）2年。

（3）社会保险参保有单独渠道

高校毕业生从事自主创业的，可在各级社会保险经办机构设立的个人缴费窗口办理社会保险参保手续。

4. 大学生创业贷款方面

（1）贷款申请条件

1）大学专科以上毕业生。

2）毕业后6个月以上未就业，并在当地劳动保障部门办理了失业登记。

3）在申请此类贷款时，有三点比较重要：第一，贷款申请者必须有固定的住所或营业场所。第二，必须有营业执照及经营许可证、稳定的收入和还本付息的能力。第三，也是最重要的一点，就是创业者所投资的项目已有一定的自有资金。具备以上条件的方能向银行申请，申请时需要提供的资料主要包括婚姻状况证明、个人或家庭收入及财产状况等还款能力证明文件；贷款用途中的相关协议、合同；担保材料，涉及抵押品或质押品的权属凭证和清单，银行认可的评估部门出具的抵（质）押物估价报告。除了书面材料以外就是要有抵押物。抵押方式较多，可以是动产、不动产抵押，定期存单质押、有价证券质押、流通性较强的动产质押，符合要求的担保人担保。发放额度根据具体担保方式决定。

（2）贷款期限和金额要求

国家为大学毕业生提供的小额创业贷款是政府贴息贷款，其期限为1—2年，2年之后不再享受财政贴息。创业贷款金额要求：一般最高不超过借款人正常生产经营活动所需流动资金、购置（安装或修理）小型设备（机具）以及特许连锁经营所需资金总额的70%；期限一般为2年，最长不超过3年，其中生产经营性流动资金贷款期限最长为1年；个人创业贷款执行中国人民银行颁布的期限贷款利率，可在规定的幅度范围内上下浮动。

（3）贷款偿还方式

1）贷款期限在1年（含1年）以内的个人创业贷款，实行到期一次还本付息，利随本清。

2）贷款期限在1年以上的个人创业贷款，贷款本息偿还方式可采用等额本息还款法或等额本金还款法，也可按双方商定的其他方式偿还。具体优待政策可以咨询当地政府有关部门。

第三节　创造性思维与创新创业教育

关于创造性思维的定义，学术界并没有统一的界定。有学者认为，创造性思维是一种具有开创意义的思维活动，它是以感知、记忆、思考、联想和理解等能力为基础，以综合性、探索性和求新性为特征的高级心理活动，包含推理、想象、联想和直觉等思维活动。也有人认为，创新思维是以解决科学或艺术研究中所提出的疑难问题为前提，用独特而新颖的思维方法，创造出有社会价值的新观点、新理论和新方法等的心理过程，其思维具有独特性质，如求异性、独创性、变通性、综合性和超越性。

创造性思维具体表现为发散思维、逆向思维、联想思维和灵感思维等几种思维形式。发散思维是从问题的本身出发，从不同的角度、渠道，大胆设想寻求解决问题的方法。例如，微型冰箱的异军突起。收敛思维是指把看似不相关的事物通过移植和解构等方式再次组合起来，使之成为一个新的有机整体。立体思维是指跳出点、线、面的限制，能从上下左右，四面八方去思考问题的思维方式。逆向思维是指从解决问题的常规思维的反向思考问题的方式，避免走入常规思维的死胡同，它"反其道而思之"。例如，司马光砸缸。

创造性思维是一个渐变与突变结合的变革过程。英国心理学家 G. 华莱士提出的四阶段模式比较有代表性，他将创造性思维的心理过程分为四个阶段：准备阶段（提出问题）；酝酿阶段（问题的求解）；豁朗阶段（问题的突破）和验证阶段（成果证明）。创造性思维心理学层次可分为显意识思维和潜意识思维。

21世纪是创业经济时代，其核心是创新。创新创业活动是指创新创业人才综合运用自身的创新意识、创造性思维和创新创业能力进行创新创业实践。其核心是创造性思维，这是因为创新意识是指在本职岗位上为社会创造出有价值的全新物质产品或精神产品的强烈愿望，以及"敢为天下先"的勇气和胆魄；创新创业能力则是指具有把上述愿望和勇气变成可操作的步骤并使之转化为有价值的、前所未有的物质或精神产品的能力。显然，创新意识和创新创业能力都必须要以较强的创造性思维作为基础。离开创造性思维，创新意识将成为不切实际的空谈；离开创造性思维，创新创业能力的发挥将成为徒劳无功的蛮干。因此，在创新创业教育过程中，创造性思维的激发和培育是非常重要的部分。那么，高校如何在创新创业教育过程中做到培育学生的创造性思维，为学生的创新创业能力发展提供有力保证呢？

一、创新创业教育模式——创新与创业协同互融

（一）国外高校创新创业教育模式

1. 单点聚焦

单点聚焦就是将某一个学科作为建设点，进行创新创业建设，培养目标为

专业型实用人才，学生在通过全部课程的学习后，可以直接进行创新创业的实践或研究。在国外高校中，创新创业教育通常只在商学院进行，其所有环节的总负责则是学校指定的学院（通常是商学院）。学院需要设置相应的课程，并负责学生的培养，相应的，创新创业教育的培养对象只从培养学院的学生中进行筛选，筛选过程一般都比较严格。使用这一模式的代表院校是哈佛大学，其商学院就是在这一模式中培养了许多知名企业家，其优势在于精心设计的课程和强大的师资队伍，在此二者的帮助下，哈佛大学商学院才得以成功。

2. 全校培养

全校培养，顾名思义，就是面向全校招收筛选学生参与创新创业教育，以培养创新实用型人才为目标。这一培养模式已逐渐成为国外高校创新创业教育模式的主流，主要分为磁石模式与辐射模式。

（1）磁石模式

在这一模式下，学校需要成立一个专门的管理中心，负责全校创新创业相关教学资源的管理以及调度。与单点聚焦的教育模式相同，这一中心设置的位置也是商学院，不同的是，虽然同样依靠商学院内部的师资力量，但是该管理中心招生方向为全校，只要学生能够通过筛选，就可以接受创新创业教育。例如，在麻省理工学院中，创新创业教育面向全校学生，但校内的创新创业项目都交由其商学院进行管理。

（2）辐射模式

在辐射模式中，创新创业项目不再由商学院管理，而是直接由各个院系分管，总的调度则由学校设置的对应委员会负责。在这一模式下，各个学院可以和单点聚焦培养模式一样，培养各自专业的实用型人才。实质上，辐射模式就是将单点聚焦中的商学院扩大到了其他院系，同时将原有的院系要求取消，使得学生可以选修其他专业内的创新创业课程，可以实现创新创业的多维培养。在康奈尔大学中，创新创业教育就在九个不同的院系中进行推行，取得了良好的效果。

3. 混合模式

混合模式就是前两种教育模式的有机结合，在校内同时施行两种模式。创新创业教育也被分为两个部分，一部分是以专业化创新创业人才培养为目标，类似于单点聚焦，对于学生筛选有专业限制；另一部分则类似于全校模式的培养，目的在于学生创新精神与创新创业能力的培养。

（二）我国创新创业教育模式

2002年，教育部确立了清华大学、北京航空航天大学、中国人民大学、上海交通大学、西安交通大学、复旦大学等九所院校为我国创业教育试点院校。这些院校都先后不同程度地以各种方式展开创业教育实践，形成了开展创业教育的一些经验做法。

目前，我国不少高校开展了创业教育和研究工作，探索我国大学生创业教育的基本方法和发展模式，初步形成了一些创业教育模式，取得了一些成果。我国创业教育模式呈现出百花齐放、百家争鸣的局面。

我国创新创业教育起步较晚，高校大多采用的模式的有以下三种：

1. 校内进行教学与实践

这一模式将重点放在学生能力的培养上，创新创业教育作为学生综合素质教育的一部分，教育的目的在于学生的创新精神、创新创业能力与意识的培养，使得学生毕业后可以具备基本的创新创业能力，成为社会所需要的创新创业全面型人才。这种教育模式同时结合理论教学与课外实践，通过相关的讲座、交流以及比赛等，促进学生参与创新创业项目或成立相关校内组织。这一模式在中国人民大学中施行效果较好。

2. 创业中心模拟商业运作

与校内教学实践不同，这一模式通常需要学校成立一个专门的创新创业基地，在基地中可以模拟出一个真实的市场环境，供学生进行模拟的创业实践。这种模式重点培养学生创新创业的实践能力与实际操作技能的水平。学校还会与创投公司合作，增设创新创业教育系列课程，为学生提供创业实操培训、创业项目指导等支持。对于可行的创新创业项目，学校还会给予一定的资金支持，以增加学生对创新创业的积极性。这种模式的代表院校为北京航空航天大学。

3. 创新创业综合教育模式

这一模式就是前两种模式的综合，为上海交通大学所首创。学校一方面将创新创业教育纳入素质教育，进行全校的创新创业基础教育；另一方面，设立了一个创业中心，吸纳对于创新创业有强烈意愿且具有较强的创新创业能力的学生加入，并进行有针对性的创新创业培训，同时给予资金与政策的支持。

（三）高校创新创业教育模式的构建原则

高校创新创业教育模式在构建过程中应遵循以下四个原则：

1. 主体性原则

高校大学生的知识结构、能力水平各不相同，在开展创新创业教育中要充分了解每个学生的差异，要基于每个学生的具体诉求，制定有针对性的培养方案，避免"千人一面"，做到"一把钥匙打开一把锁"。

2. 创新性原则

相比于学校其他课程的学习，大学生创新创业教育对学生系统掌握创新创业理论，特别是将理论成功运用于实践提出了更高的要求。这就需要在进行创新创业教育时要把握创新创业教育的特质，采取针对性的创新，以创新教育推动创新创业实践。

3. 一体化原则

大学生创新创业教育必须坚持课堂内与课堂外相衔接，学校内与学校外相结合。开展创新创业教育不仅要考虑学校的教育教学改革、课外活动的开展，也要考虑国家政策、社会环境等方面的因素。

4. 市场导向性原则

创新创业教育成功与否最终都要接受市场的检验。因此在教学过程中，应积极发挥体验式教学的作用，营造尽量真实的市场体验环境。在创业实践中，应尽量为学生提供各种参与创业实践活动的机会，让学生能够接受市场的锻炼。

（四）高校创新创业教育模式的构建

1. 构建完善的创新创业管理体系

首先，成立创新创业教育工作领导小组，由学校主要领导任组长，分管校领导任副组长，教务处、科学研究处、研究生处、计划财务处、学生工作处、团委、招生就业处等相关部门参与，部门负责人为成员。领导小组负责学校创新创业教育规划的制定、教育管理与监督评估。领导小组下设创新创业教育部门，配备专职人员，负责学校创新创业教育教学活动。

其次，成立二级学院创新创业教育指导小组，由二级学院院长任组长、分管教学的院领导和分管学生工作的副书记任副组长，成员由相关学科和专业负责人组成。指导小组负责制定本学院的创新创业教育工作实施细则，认真落实学校创新创业教育计划，协同学校创新创业教育部门开展本学院创新创业教育相关工作。

最后，成立教研室创新创业教育导师队伍。根据学科特点，各专业教研室成立与专业相关的创新创业导师队伍，负责落实本专业学生创新创业教育第一课堂、第二课堂的教学工作，指导学生开展形式多样的创新创业教育训练活动等。

2. 构建融入人才培养全过程的创新创业教育体系

首先，进一步修订学校人才培养方案，将创新创业教育融入学校人才培养方案中，通过充实第一课堂，深化创新创业教育。面向全校学生实现从新生到毕业生，在通识教育以及专业教育中，逐步贯穿创新创业理念和精神。规划不同阶段学生的创新创业教育目标，在不同学年阶段，安排不同的课程，协调好理论教学和实践教学的关系，设置创新创业教育理论教学模块和实践模块的学分。积极推进各教学单位教学方法、方式改革。深入推广启发、案例、讨论及仿真教学等丰富多样的教学方法，实行多元化、多样化的学习评价和过程考核、校企双向考核方式，统筹校内培养与校外培养，学校和企业共同承担教学任务。

其次，建立完善的创新创业教育课程体系。一方面，坚持以市场为导向配置理论课程内容，模块化、体系化建设专业必修课程与选修课程；另一方面，构建以创新创业能力培养为主线的实践课程体系，培养学生的创新精神和创新能力。学生在理论课学习期间，可以自主选择一个主题和项目进行调研，撰写可行性分析报告或进行相关项目实践。考查学生运用知识分析解决问题的能力，建立健全公共必修课、选修课和课外实践指导三个层次的创新创业教育课程体系。领导、组织、协调和实施大学生创新创业教育，具体包括：落实大学生创业基础教育，组织开展创业讲座、创业技能培训等工作；制定创新创业教师引进、培养及业务培训计划；负责创业课程信息化建设；负责教材研究；负责选聘大学生创业导师专家库；负责大学生创业咨询工作；负责校友创业典型案例的搜集和宣传；成立创业教育教研室，建设创业教育专门课程群。

再次，建设专兼职相结合的高素质教师队伍。学校应该有针对性地建立一支专兼职相结合的高素质教师队伍，并不断加强完善他们的知识结构，提升他们的业务能力；鼓励教师到企业挂职锻炼，特别是到基地合作共建单位参与专项课题研究，实现产学研一体化，以提高教师的实践工作能力和业务水平；挖掘社会资源，聘任成功企业家、政府劳动保障部门负责人、职业经理人等担任学生创业导师或指导教师。逐步形成由专业教师、企业导师和创业讲师组成的创新创业教育师资队伍，为推动学校创新创业教育发展提供人力资源保障。

最后，积极开展创业指导服务工作。由创新创业教育部门负责成立一站式全日制辅导站，对大学生开展创业、就业辅导，并提供各类咨询和服务。组织创新创业专家和导师经常开展创业体验赛、大讲堂、优秀项目分析和评选等活动。邀请专家和企业家定期举办企业家论坛、创业沙龙、创业论坛等交流活动，营造创客文化，搭建大学生创业交流平台。

3. 构建立体式的创新创业教育平台

一方面，推进创新创业孵化基地建设。建设创新与创业对接，集大学生创新工场、创业培训、创业孵化、创业服务等功能为一体的大学生创新创业示范园。培育创新创业实体，扶持学生建立创业团队入驻。开展创业活，学生项目入驻。

另一方面，丰富协同育人形式。建立校校、校企、校地、校所以及国际合作的协同育人新机制，密切与地方政府、行业企业、其他高校院所的协同，积极吸引国外优质教育资源投入创新创业人才培养。推进学科专业建设与人才培养协同，以社会需求为导向，进行学科专业、创业就业的交叉培养。积极开拓多学科交叉融合培养创新创业人才途径，努力搭建跨学科、跨院系和跨专业交叉培养的创新创业人才机制，使人才的培养由原来单学科的专业朝着多学科的专业进行转变。

4. 构建务实管用的服务体系

首先，成立创新创业教育指导中心。配备专职人员，对全校的创新创业教育指导工作统一基地后，为学生创业项目提供场地、办公设备等硬件支持；设立扶持资金，加强与政府部门的合作，建立创业担保贷款服务中心，引入风险投资；在办理执照方面，提供一站式服务。

其次，加强校外创业教育实践平台建设。学校要根据创新创业人才培养要求，加强与行业、企业的合作，充分发挥行业、企业在人才培养方面的优势。加强校企协同，以校外（企业）实践基地、实习实训基地、校企共建实验室为依托，以学生到企业参与实际生产及项目开发为主，实施"双导师"制进行生产实习、企业实训及毕业设计，实现由实训实习到实践实创，提高学生的实践能力；加强校地协同，与政府合作共建产业园区，引导学校优秀大学生创业项目落户政府建设的高新技术产业集聚区、工业园区，共享园区资源，将产业园区作为学校创新创业实践基地，为师生创新创业实践项目提供生产经营软硬件设施与服务，促进学校教学科研成果产业化，为在校大学生创新创业项目提供更广阔的发展空间。

最后，开展创新创业第二课堂教育。注重搭建学生竞赛平台，学生根据自身特长或爱好，独立或在教师的指导下进行科学研究、技术开发、学科竞赛、作品创作及各类活动。依托各级各类科技创新、创意设计、创业计划等专题竞赛，将第一课堂的理论知识延展为第二课堂的技能，提升学生的创新能力与素质。以创新创业大赛为依托，开展创新创业等系列模拟实战大赛，强化创新创业实践，培养激发学生的创业实践能力，以创新引领创业，以创业带动就业。以学生社团为阵地，建立创新创业社团，发挥创新创业型学生社团，营造创新创业氛围。引领校园创新创业文化、服务学校创新创业教育中的推动作用。

二、创新创业教学方法——理论与实践协同互动

（一）多层次苏格拉底式教学法：理论与实践

1870年，时任院长的克里斯多夫·兰德尔在哈佛大学法学院进行法学教育改革，推广所谓的"案例教学法"，也称作苏格拉底式教学法——围绕案例展开的问答式教学法。该方法在提升学生学习参与度的同时，可以激发学生的批判性思维以及增强其逻辑推理能力。对苏格拉底式教学法的批判性借鉴有利于改善我国法学教学的授课质量，帮助学生更好地掌握相关的理论和实践技能。后来，美国富布赖特访问学者艾琳·瑞恩教授对传统苏格拉底式教学法进行了改进，共同设计了"多层次苏格拉底式教学法"，并将其应用于中国课堂。

1.苏格拉底式教学法的概念

苏格拉底式教学法强调提出问题并讨论问题，并不是由老师简单地向学生灌输知识，让他们去记忆。在教学中，司法判例是教师提问以及学生作答的主要文本基础。围绕指定文本，教师在课堂上向学生提问或点对点式地邀请学生谈论对一些问题的看法，帮助学生观察法律现象，总结法律规则，探究解决问题的选择方案。

培养学生的实务能力是美国法学教育的重点。大部分美国法学教师在谈到自己的教学目标时，都会说他们不仅要教授学生核心法律课程的基本学说，而且要教会学生"如何像律师一样思考"。苏格拉底式教学法强调通过策略性对话，训练学生对法律实务问题的确定性，并确定特定案情所应适用的法律，根据既定事实适用法律，针对相反的主张进行辩护。教师鼓励学生考虑其他的相反意见，清楚地表达每一个可能成立的论点。因为这些意见可能会使最终的审判结果截然不同。很多时候，教师也会鼓励学生针对一些没有明确答案的问题进行辩论，以便梳理出一些相互矛盾的深层价值观念。

2. 苏格拉底式教学法的优劣势分析

（1）苏格拉底式教学法的优势

苏格拉底式教学法在一些传统教学方法效果薄弱的地方确实拥有一些显著优势。它有利于教会学生"解锁"表面答案之下的设定，梳理逻辑、证据或者偏好等问题；教会学生在面对冲突或者多元价值判断时如何予以权衡和妥协；教会学生不要满足于那些在循环论证中掩盖了价值权衡的"无据推断"或者"重复主张"。

有利于培养学生的推理能力是苏格拉底式教学法的另一个明显优势。学生们被要求不断尝试将新理论应用于旧问题，或者将传统理论应用于新问题。他们需要学会通过将当前需要处理的案例与以前的案例、规则以及理论进行类比，找出某一理论或某一观点与解决另一问题之间的协同关系。

（2）苏格拉底式教学法的劣势

苏格拉底式教学法尽管在教学上存在如前所述的诸多优势，但是受具体条件约束，传统的苏格拉底式教学法也因为存在一些缺陷而受到广泛批评。

首先，学生可能会因为在大庭广众之下分析有难度问题的失败经历而受到心理上的伤害，会使得教师与学生之间产生壁垒与隔阂，导致原本有益的课堂讨论不能进行。

其次，苏格拉底式教学法并非在各个教学阶段都是最理想的教学方法。某些知识通过讲授的形式可能会得到更好的传播——历史、技术规则或者本质上具有任意性的设计通常难以通过问答等方式推导出来。

最后，如果在课堂上只使用苏格拉底式教学法也会产生许多实际问题——在培养某些技能的同时忽略了其他同等重要的技能的培养。比如，在课堂上，尤其是大型课堂，大部分学生不太可能直接参与问答。

因此，美国针对苏格拉底式教学法开始进行了各种形式的教学改革，尤其是在2007年《卡内基法学教育报告》发布之后。相关改革措施主要包括增加注重团队技能培养的课程，调整传统的苏格拉底式对话的具体讨论形式，更加支持学生探究所学内容，降低他们受到心理伤害的概率。许多院校已经开始缩小课堂规模，尽量使每一位学生都能够轻松地参与课堂讨论。我们需要将该教学方法与其他教学方法（包括点缀式讲授等）相结合，进而更加全面地提升学生的专业素养。

3. 中国语境下的多层次苏格拉底式教学法

苏格拉底式教学法虽然可以有效地使学生参与课堂讨论，促进学生学习的积极性，但是东方社会的一些文化规范有时会与其要求相冲突，限制其发挥作用。为发挥苏格拉底式教学法的优势，并使其适用于中国法学教学，我们对传统的苏格拉底式教学法的基本模式进行了改进——将全体学生分为多个互助学习小组，将一对一的问答模式改为一对多的互动模式。这种将苏格拉底式教学法由于具有多层次探究的复合式结构而被我们称为"多层次苏格拉底式教学法"。

通过运用多层次苏格拉底式教学法，并结合其他一些参与式学习训练，使我们在教学中达到了一种平衡。一方面，学生有机会进行小组学习，自由发表并分享观点；另一方面，学生又能够独立思考教师提出的问题，延续了传统苏格拉底式教学法的风格，对学生进行头脑风暴。

在中美法学教学中，多层次苏格拉底式教学法的主要优势在于促使每位学生积极参与课堂讨论。针对美国学生，它的优势是培养学生的团队精神，协同创新能力和经常被忽视的团队协作技能。

尽管多层次苏格拉底式教学法获得了初步的正向反馈，但无论是多层次苏格拉底式教学法还是中国和美国的法学教育都还有很大的提升空间，进一步进行教育改革势在必行。

（二）实践教学法

创新教育的实施离不开学校大环境的支持，构建创业教育平台和网络，营造良好的校园文化氛围对学生创新创业能力的培养十分重要。在硬件建设方面，学校的主要任务是改善教学条件，增加仪器设备，创建实践教学基地，使学生能够有实际动手操作的机会。

实践教学是培养学生动手能力和解决实际问题能力的关键，在课程体系中应该充分体现出实践教学的特点。实践教学的形式多样化，除实验教学外，还包括教学实习、农事操作、综合性实验、设计性实验等多个教学环节。专业课程的实习由原来每一门课程的分散实习改为整合实习，由专业课老师联合指导，这样有利于节约资源和优势互补，提高实习效率。

（三）嵌入式教学法

在专业课教学中贯穿创新创业教育理念，嵌入式教学是指根据学科专业特征，将创业教育嵌入日常的专业教育之中，通过二者的有机结合，实现创业教育和专业教育的培养目标。教师认真挖掘教学内容中与创新创业有关的因素，找准切入点，引导学生在学习知识的过程中根据自身生活经验对未来的创业工作进行联想与思考，找出创新点。

（四）贯穿式教学法

传统的课堂教学模式是由教师的讲授和学生的聆听完成的，学生只是继承了知识，缺少思考空间。这种教学模式弱化了学生的创新思维，不利于学生创新创业意识的形成。要把创新创业教育贯穿于课堂，就要改变这种单一的教学模式，多采用启发式、专题讨论式、调查研究式以及开放式的教学模式，注重学生的参与，体现"学生为主体、教师为引导"的教学新方式。

（五）创业技能培训——SIYB

SIYB 全称是"START & IMPROVE YOUR BUSINESS"，属于创业培训，是国际劳工组织为帮助微小企业发展，促进就业，专门研究开发的一系列培训小企业家的培训课程。它包括"产生你的企业想法"（Generate Your Business Idea，GYB）、"创办你的企业"（Start Your Business，SYB）、"改善你的企业"（Improve Your Business，IYB）和"扩大你的企业"（Expand Your Business，EYB）四种培训课程（图 2-1）。这四种培训课程的关系如图 2-2 所示。该系列培训课程专门培养潜在的和现有的小企业者，使他们有能力创办切实可行的企业，提高现有企业的生命力和盈利能力，并在此过程中为他人创造就业机会。

目前，SIYB 已成为国际劳工组织的创业培训品牌，在全球 80 多个国家使用并取得了良好的效果，受到各国的普遍欢迎。

GYB 培训课程　　　　SYB 培训课程　　　　IYB 培训课程　　　　EYB 培训课程

图 2-1　SIYB 系列培训课程

SIYB 培训经我国劳动和社会保障部引入，并于 2005 年 8 月 26 日公布了"创办你的企业"（SYB）培训的高校名单。劳动和社会保障部正在全国多座城市实施，取得了良好的效果。目前，我国已经引进了 GYB、SYB、IYB 三个培训模块。通过创业培训，不仅使学员的就业观念发生了转变，而且更激发了他们的创业意识。掌握创业技能，增强微小企业抗风险能力，使学员在短时间内成为微型企业的老板。

图 2-2　SIYB 培训四大模块关系图

（六）"二次创业"法

采用学生"二次创业"的模式降低了大学生的创业风险，强化了大学生的创新创业实践能力，增加了大学生的创新创业实战经验，提高了大学生对创新创业的信心。在该模式下，大学生毕业前和毕业后分别能通过获得学校帮助进行创业。学生首次创业为校内创业，创业学生可以向学校申请一定的创业启动资金，学校根据学生创业的实际情况给予资金支持，学校还在市场定位、法律咨询、政策援助等方面为学生提供和争取一定的帮助，与学生合作经营，共同管理企业，帮助学生快速成长，同时学校还持有学生所创企业中一定的股份，持续到学校收回之前的启动资金后才从学生所创企业中撤离。第二次创业为校外创业，创业学生必须是学校的应届毕业生且曾进行过校内创业，像校内创业那样，学生经学校考虑认可，可向学校申请到一定的创业启动资金，学校在学生创业初期为学生提供与校内创业相同的咨询和帮助，但学校不参与学生所创企业的经营管理，学校持有学生所创企业中一定的股份，一旦企业发展稳定，学校就从学生所创企业中撤离。通过"二次创业"，大学生能够获得更加丰富的创新创业实战经验，其创新创业实践能力也能获得进一步的强化，降低了其创新创业的风险。

思 考 题

1. 简述创业的要素与类型。
2. 创新精神的表现有哪些？
3. 论述国外高校创新创业教育模式与国内高校创新创业教育模式的区别与联系。
4. 全国乒乓球赛男子单打的半决赛即将开始，参加半决赛的4名选手是甲、乙、丙、丁，乒乓球爱好者纷纷对比赛结果进行预测。小钱：冠军不是乙便是甲；小赵：乙和丁不是没有希望夺冠的；小孙：甲是会获得第一名的。比赛结果证明，3人的预测只有1个人对了。请问谁预测对了？又是谁获得了冠军？

第二部分

创造性思维的训练

第三章

创造性思维模式

📖 课程目标

掌握创造性思维模式的概念；
掌握创造性思维的种类。

📖 重点难点

教学重点：对创造性思维模式的认知以及对创造性思维种类的辨析。
教学难点：创造性思维的现实应用与实践过程。

💡 案例导入

习近平为何一直重视创新思维

创新思维是指因时制宜、知难而进、开拓创新的科学思维。习近平为何如此重视创新思维，领导干部如何培养创新思维，全社会又该怎样鼓励和尊重创新思维。在他的一系列重要讲话中，已经给出了答案。

1. 创新是民族进步的灵魂，是国家兴旺发达的动力

在长期的治国理政实践中，习近平深刻认识到创新的巨大作用。他曾这样说："创新是一个民族进步的灵魂，是一个国家兴旺发达的不竭动力，也是中华民族最深沉的民族禀赋。""如果我们不识变、不应变、不求变，就可能陷入战略被动，错失发展机遇，甚至错过整整一个时代。"

2. 问题是创新的起点，也是创新的动力源

习近平认为，"要有强烈的问题意识，以重大问题为导向，抓住关键问题进一步研究思考，着力推动解决我国发展面临的一系列突出矛盾和问题"。如何突破自身发展瓶颈、解决深层次矛盾和问题？在他看来，"根本出路就在于创新"。

3. 领导干部要增强创新本领，创造性地推动工作

要勇于创新、善于创新，习近平曾经反复倡导提高领导干部的创新思维能力，"建设一支政治过硬、专业过硬、能吃苦、富有开拓创新精神的干部队伍"。

4. 全社会要积极营造鼓励大胆创新、勇于创新、包容创新的良好氛围

"让有创新梦想的人能够心无旁骛、有信心又有激情地投入到创新事业中"。习近平提出，要在全社会大力营造勇于创新、鼓励成功、宽容失败的良好氛围，为人才发挥作用、施展才华提供更加广阔的天地，让他们人尽其才、才尽其用、用有所成。习近平还特别勉励广大青年一定要勇于创新。他说，青年是社会上最富活力、最具创造性的群体，理应走在创新创造前列。"生活从不眷顾因循守旧、满足现状者，从不等待不思进取、坐享其成者，而是将更多机遇留给善于和勇于创新的人们。"让创新思维成为一种习惯和本能，中华民族伟大复兴的中国梦必将早日实现。

（资料来源：中国青年网）

第一节 创造性思维的模式

创造性思维作为一种开放性思维方式，其形成过程是基于已有的理论知识。创造性思维模式的形成也是借用创造性思维产生过程中的结构理论，其主要从以下几个理论中产生：

一、四阶段理论

英国心理学家 G. 华莱士在 1945 年《思考的艺术》一书中首次提出创造性思维的一般模型，即"四阶段理论"，这也是作为创造力核心的创造性思维的研究标志。

G. 华莱士较完整地将创造性思维的心理活动分为以下四个阶段，且每个阶段都有其明确的内容。

1）准备阶段。明确问题当下的状态，围绕问题积极收集所涉及的资料，做好前期准备。

2）酝酿阶段。对问题进行初步探索，试探性地梳理框架，并进行反复深入的思考。

3）豁朗阶段。问题得以解决，思路开阔伴随思维方式的运用，成功解决难题。

4）验证阶段。检验所取得的结论，对所解决的问题进行再次核验和证明，确保理论的正确性和操作的有效性。

这一重大理论研究至今在国际上仍保有一席之地，且对于以后的创造性思维研究影响重大。从整体来看，此四阶段理论还处于经验性质阶段，但对于逻辑思维、直觉思维等的影响已经凸显出来了，应该算较早时期的创造性思维模式。同时，我国的创造性思维研究也在不断从中受益，并逐步发展。

二、智力三维结构模型理论

美国心理学家吉尔福特（J. P. Guilford）最早对创造力进行了系统研究，他的《创造力》一书被西方心理学界视为现代正式研究创造力的先锋著作。

他在 1967 年提出"智力三维结构模型"理论，将智力看成是一个立体的智力结构。吉尔福特认为，人类智力应由多种因素组成，但这多种因素都应从三个维度出发。

1）智力内容。智力的内容主要包括了图形、符号、语义和行为等内容。

2）智力操作。智力的操作主要包括认知、记忆、发散思维、评价和聚合思维等五类。

3）智力产物。智力的产物主要包含了单元、类别、关系、系统、转化和蕴涵等六种。

在吉尔福特的理论中，其认为创造性思维的核心在于智力操作中的发散思维。

三、潜意识推论

中国思维科学教授刘奎林在 1986 年发表了一篇颇具影响力的论文《灵感发生论新探》，该篇文章收入由钱学森任主编、上海人民出版社于 1986 年出版的《关于思维科学》一书中，这是当时学术界较为前沿的研究成果。在文中，刘奎林提出"潜意识推论"，并运用这种理论建立起"灵感发生模型"。该模型之所以可以看作是创造性思维模型，原因在于，文中将灵感思维"居于创造思维过程中的重要位置"始于"潜意识推论"，在此理论基础之上，我们也可以将其称为基于潜意识推论的创造性思维模型。这也是迄今为止，在国内外有关文献中所能看到的关于创造性思维研究较为完整和具有说服力的模型。

在灵感发生模型中，刘奎林将灵感发生机制的序列分为以下五个阶段，且每个阶段内容详细。

1）境域阶段。该阶段是灵感发生的客观环境，这一阶段用客观环境中存在的事物或表象来促进灵感的迸发。

2）启迪阶段。影响灵感迸发的偶然因素，这一阶段灵感的迸发基于对事物信息的搜集和积累，在对信息进行深入分析后发现偶然信息。

3）跃迁阶段。对所搜集到的信息进行深入的加工处理。

4）顿悟阶段。对已知信息的整合和对偶然信息的辨析，达到对问题结果的处理。

5）验证阶段。核验和证明所得信息或结果的合理性与科学性。

这五个阶段环环相扣，联系紧密。在此，刘奎林将灵感思维作为人类的基本思维用以反映客观世界。该理论从灵感出发，强调灵感是创造性思维的重要形式。

四、创造力三维模型理论

美国耶鲁大学教授斯坦伯格（R. J. Sternberg）在 1988 年提出"创造力三维模型"理论，又称"智力三元理论"。他认为，创造力主要由三个维度组成。

1. 智力维

智力维是指与创造力有关的"智力"，分为内部关联型智力、经验关联型智力和外部关联型智力。

2. 方式维

方式维是指与创造力有关的认知方式。

3. 人格维

人格维是指与创造力有关的人格特质。

在创造力三维模型理论中，智力维与创造性思维的关系最密切。在智力维中，内部关联型智力是由元成分、执行成分和获得成分组合而成。其中，执行成分涉及创造性思维的心理过程；获得成分是顿悟的重要组成部分，而顿悟是创造性思维的核心；元成分主要与创造性问题解决过程的计划、监控和评价等相关联。因此，智力维实际上也就是创造性思维的一种模型。

人类的创造性思维不仅反映事物的关系，而且还发现、产生新关系，并组成新组合和新模式。创造性思维模式为从纷繁复杂的创造过程中不断萃取具备代表性的理论提供指导。

第二节　创造性思维的类型

按照思维活动的实际，可以从不同角度将创造性思维划分为不同的思维类型，大体包括以下几类：

一、直觉思维与分析思维

从认知层面探讨创造性思维，可将其分为直觉思维和分析思维。

1. 直觉思维

创造力来源于灵感，而灵感属于直觉思维，它是在长期实践中积累经验和知识而爆发产生的有创造性的思路。灵感的产生并不是毫无依据，或者如同一些谬论家所言，是造物主恩赐强行塞入脑中而形成的。灵感的来源也遵循一定的根据。比如，在教学过程中，学生的灵感来源便是教师在教学中通过对学生知识的诱发和创造力的引导,及时发现学生在某一方面所表现出来的特殊才能,进而进行合理有序的科学引导,使学生能够遵循灵感,大胆地提出自己的问题或构思。

直觉思维是指在认识某一主体时,能够通过直接观察其外在形象,结合认识方式及手段,对其内在所存在的本质或规律产生由内而外的觉悟。直觉思维能够迅速抓住事物或问题的要害,这也是直觉思维区别于其他思维方式的独特之处。直觉思维是一种复杂的认知能力和心理现象,复杂在于这是突然间或偶然间的感悟,是在其他思维能力无法找寻到答案时,在直觉思维中可以迅速得出结论。抓住要害进而达到对事物本质的认识,促成思维的跳跃,使人们对事物的认识得到创造性的飞跃和升华。

爱因斯坦模式就是证明直觉思维最好的例子。爱因斯坦曾说:"我相信直觉和灵感","物理学家的最高使命是要得到那些普遍的基本规律……要通过这些定律,并没有逻辑的道路,只有以通过那种对经验的共鸣的理解为依据的直觉,才能得到这些定律。"爱因斯坦所说的直觉,就是我们这里所要说的直觉思维。爱因斯坦理论在形成初期主要运用抽象思维和逻辑思维,但并未解决根本问题。但他所迸发出的直觉思维——关键是分析时间概念,促使他在短时间内完成狭义相对论的论述。这也就是爱因斯坦的直觉思维所创造出的科学事实,直觉思维也成为科学研究和科学创造过程中不可或缺的因素之一。还有物理学家阿基米德洗澡时从水的浮力中豁然开朗,发现举世闻名的浮力原理;费米在捕捉壁虎的过程中顿悟出了物理学著名的费力统计……但我们也应避免将直觉思维神秘化,将灵感绝对化。

2. 分析思维

分析思维存在于各个思维能力运用的过程中,它不易察觉,但常被使用。分析思维是依据一定的逻辑关系对事物进行逻辑研究、合理推理,从而获得准确判断的思维方式。也就是说,分析思维能力对各类信息和资源的再造过程,需要大脑有敏锐的辨别力和推断力,能够从现实生活中的繁杂问题中分析出问题的关键所在,挑选和组合关键问题点,进而推导结论。

人们常认为分析思维的奠基者是笛卡尔,他是17世纪法国的数学家、哲学家,因为他相信,世界是存在"所有物体的普遍的质",科学创造的目的就是实现这一"质"。在他所从事的科学研究中,对于思维方式和所使用的方法论的探索尤为关心,他倡导通过严密的科学推理从基本的不可再细分的思想中追求真理。从这里能够看出,笛卡尔实际倡导的是分析思维。

在创造性思维中使用分析思维,往往是对客观事物的认识进行分解,将其分解为多个模块或多个方面来认识,如将某个事物的整体分解为对其所含属性、特征、影响因素、作用等的认识。

二、发散思维与收敛思维

从理论层面探讨创造性思维,可将其分为发散思维和收敛思维。

1. 发散思维

思维的发散性是当面临某一情景时,自觉不自觉地产生出一种想象力,并向多方向进行拓展。当出现正面现象时,思维能立即做出反应,觉察出反面现象;当出现横向面时,思维能迅速拓展开,展现纵向面。诸如此类,多方向、多角度向外扩展,不仅能做到由此及彼,而且也能快速举一反三,并不断发散出去。因此,发散思维就是指在解决问题的过程中,思维不断扩展,通过多方向、多角度、多途径去探索各种不同的解决途径和方法。其具体思维过程:以已知的某一点信息为思维基点,运用已知的知识,通过分解组合、引申推导、想象类比等,从不同方向进行思考,得出多种思路,想出多种可能,从中引发创新。

心理学认为,人的创造能力是和发散能力成正比例变动的。培养学生的创造性思维,就要在训练中不断运用发散思维能力。在运用的过程中不可避免地要提及想象。想象是在一定理论知识的基础上,对大脑中记忆的信息碎片加以整理和再次加工,组合再创造出新形象和新观念的思维过程。它不仅能创造出客观存在的事物,而且也能通过发散思维创造出超越客观实际的虚拟物件或形象。这是不断培养发散思维,提高想象力的有效手段,同时也能证明发散思维在发挥创造性时的无限性,它还是发散思维的无边界条件。

发散思维能力一经培养,便具有以下特征:

(1)发散思维具有流畅性

发散思维在解除了原有羁绊的基础上,挣脱固有思维方式的束缚,充分利用既得条件使思维向多角度、全方位延伸,用时短且尽可能多地提供想法或观点。只有确保思维流畅,才能使其向确定的方位及角度延伸,从而寻找到解决问题的不同途径和方法。

（2）发散思维具有创造性

发散思维以其创造性区别于其他思维方式，发散思维的创造性在于其独创性，这也是人们进行创新和创造的目标导向，不墨守成规，勇于创新。在学习过程中，学生要敢于对既有知识提出异议，并在有理有据的条件下提出质疑。

学习的过程实际上也是重新建构知识的过程，学习虽然需要外界的刺激和激发，但是并不由其控制；学生在对学习知识进行建构的过程中，自觉地使用自己的发散思维能力，对所积累和掌握的原有知识进行二次加工和开发，从而独创性地构建出自己的知识架构，并体现出差异性。

（3）发散思维具有变通性

拘泥于常规思维，容易陷入僵局，进而局限思维的发展。只有不断地更换思维角度，才能不定向、不拘谨；只有保持思维方向的多样化，才能在引导学生的创造力中，促使其能够越过常规逻辑，灵活变通地解决问题。

2. 收敛思维

收敛思维体现创造性思维的集中性。收敛思维可以基于现有事实和根据，充分运用给定目标、流程、逻辑等将已知条件进行整合，从而获得准确合理的答案，形成一种科学的思维方法，达到创造新发现的目的。在从不同来源的不同信息资料中寻求一个科学合理的答案时，要有方向、有条理地将发散的思路聚集成一个焦点，尤其是在想法多、预设方案多的情况下进行判断时。

收敛思维是发散思维的基础，创造性思维如果缺乏收敛思维就容易陷入漫无边界的发散中，如同大海捞针般毫无头绪，对问题的解决也是缺乏边界性，那么正确、科学、合理的答案也就无从谈起。因此，收敛思维的优点主要在于可以为创造性思维提供可供选择和比较的多种途径或方法。正如现代美国著名学者库恩在谈及收敛思维时所指出的，收敛思维可以使人们牢固地扎根于当代科学传统中。

收敛思维也可以从给定的相关信息中聚合出关键信息，从关键信息中总结概括出新的信息，产生符合逻辑且可接受的最佳结果，也就是"择优"。在整合众多信息和联系的过程中，抽取出为己所用的信息，也就是在发散思维的基础上"择优"其中一个方向再次进行发散思维的联想，重复一次或多次，从而获得满意结果。

三、抽象思维与形象思维

从主体层面探讨创造性思维，可将其分为抽象思维和形象思维。

1. 抽象思维

在创造性思维开始时，灵光闪现的那一刻是形象的，随着活动的进一步加深就开始了抽象思维的应用，遵循闪现的思路走向目的地的过程是抽象的，将升华后的结果进行证明时也是抽象的，将得到的结果与已知事物的相似性规律进行移植思考时也是抽象的。

抽象思维反映事物本质的认知过程，这一过程具有间接性和概括性，是在分析、比较和综合的基础上对事物的属性进行推理和判断，进而抽取本质属性过滤非本质属性，从而使个体对事物的认知从具象进入概念化的抽象领域。也就是运用抽象的概念或理论知识来解决实际问题。这其中也有其他思维方式的相互作用，但最终抽离规律性结论时还是依靠抽象思维，这也体现出抽象思维在创造性思维中的首尾相接作用。在思维主体克服思维定势时，将其抽离出来，摒弃固有的思路，从第三方角度去思考问题，这也就形成了日常生活中对某一具体事物的见解。

抽象思维在现实生活中的运用可以从海王星的发现中可见一斑。法拉第看到受磁铁影响的铁屑在纸上排成有规则的弧线完成了磁力线的概念。

2. 形象思维

形象思维是对权威和经验的弱化，对阻碍思维的相关因素进行排除，将关注点放在对思维自身的突破和发展上面。其实质就是在面对事物时，将经验、知识、思考方式运用其中，进而产生新创造。在文学界，对于形象思维能力的概念界定是这样的，"所谓形象思维能力，就是敏锐精细的形象感受能力，丰富牢固的形象储存能力，独特新颖的形象创造能力，达意传神的形象描述能力"。也是通过典型形象反映和把握事物的思维活动，这在独具创造性的成果中便能体现一二。

通过形象思维可以产生许多创造性的成果。形象思维不论是在日常生活还是科学发现中都有所体现。如在描绘大自然的巧夺天工时，李白的《当涂赵炎少府粉图山水歌》"名公绎思挥彩笔，驱山走海置眼前"，直接将李白眼前的壮丽图景通过诗词的形式描绘出来，这也是古人情感表达的一种方式。言语表达或许苍白,但所塑造的形象却很直白,使人不自觉地被带入其中,仿佛眼前便是山水美景。在科学研究领域,形象思维的运用也很广泛,如魏格纳所提出的大陆漂移学说,就是他在看到地图上非洲东海岸与南美洲西海岸轮廓形态极为相似从而引发联想的。

四、逻辑思维与批判性思维

从宏观层面探讨创造性思维,可将其分为逻辑思维和批判性思维。

1. 逻辑思维

逻辑思维是主体借助概念、判断和推理等多种手段反映现存客观事实,并遵循一定逻辑规则,揭示事物或问题的本质。它所产生的新观点、新想法是逻辑思维按部就班地将所获知的信息抽象为概念并进行判断,且按照一定的逻辑关系进行分析推理从而产生的。

逻辑思维的主要功能在于整合已有知识,形成思考模式。思考模式能够帮助人们快速地从纷繁复杂的各类现象中提取所需信息。但过于注重现实、关注最终结果的思考模式也容易束缚逻辑思维,甚至产生僵化现象。逻辑思维是创造性思维的前提,创造性思维在进行创新创造时都需要遵循一定的法则和客观规律,否则创新创造就无从谈起。也就是说,逻辑思维对于创造性思维具有导航作用。因此,不断提高逻辑能力有助于更好地培养创造性思维能力。

在创造的过程中既包含逻辑思维,又包含批判性思维,创造性思维即寓于逻辑思维与批判性思维的辩证运动中。逻辑思维在日常生活中的运用非常广泛,作用也非常大,无论是科学创造还是简单的导航辨别,都需要逻辑思维展现出的强大创造力。正如邦格所说:"没有漫长而且有耐心的演绎推论,就没有丰富的直觉。"直觉思维的作用并不否认,但当出现灵感或直觉后,缺乏逻辑的加工和处理,这一直觉并不能被证实,那也就毫无益处了,也不会出现影响深远的科学理论。

2. 批判性思维

批判性思维是主体在创造性思维的认知过程中,对于已发现问题进行多角度分析、质疑与论证,从而综合推理出新的观点。

在创造性思维应用过程中不能缺少逻辑思维的参与且逻辑思维一般作为自身活动的开端,具有严谨、循规蹈矩、有条不紊的特征,但仅仅依靠逻辑思维来解决难题最后的结果往往不能满足需求，因而，就需要批判性思维交相影响。批判性思维在创造性思维活动过程中对自我进行认识和监控，有自我认知能力，尤其是在对最后所得到的结果进行评价、选择或检验时，不唯书、不唯上、不唯师，批判性地听取意见，敢于否定、敢于质疑、敢于向权威提出挑战、敢于提出自己的独特见解。

冷静地思考问题，对多数人所认为的完美事物或结论可以从崭新的角度或全新的方式进行验证或诠释，并给予修正或"扬弃"。实际上，批判性思维的本质就在于对确定对象的相对价值做出判断并从崭新角度诠释出新的独到见解。批判性思维在创造性思维中所占的比重非常大，就如列宁对马克思批判精神的赞许，他说："凡是人类社会所创造的一切，他都用批判的态度加以审查，任何一点也没有忽略过去，根据工人运动的实践检查过。于是就得出了那些被资产阶级狭隘性所限制或被资产阶级偏见所束缚住的人所不能得出的结论。"

任何事物在不同情境下总会受到主观因素的影响，为适应这种无规则的变化，只有始终坚持批判性思维。批判性思维具有鲜明的特点：一是扬弃的观点。事物的发展变化总是呈现出螺旋式，从量变到质变也在呈现出相同的变化，有舍弃的部分也有升华的部分，始终保持批判性继承和发展的态度。二是矛盾的观点。世间万物都包含矛盾的特质，且每一事物本身就是矛盾的。任何思维的产生与消亡也都遵循矛盾运动这一过程，所以在生活中应主动运用矛盾的观点去探寻新事物中的必然与偶然。三是发展的观点。事物是在不断发展变化的，在这一阶段，批判性思维的运用也应该是发展变化的。任何亘古不变的思维态势最终都会走向灭亡，在不断变化中寻求发展才是创造性思维走向长远的光明之路。四是联系的观点。但从某一事物的发展变化来看，可能会出现单一状态，但究其根本是相互联系的，也就是不能孤立地去看待任何一个思维发展阶段，而应在大格局下将每一阶段的发展联系起来，找到前因后果，才能更全面、更客观地进行创新创造。

作为人们的思维和认识活动，直觉思维与分析思维、发散思维与收敛思维、抽象思维与形象思维、逻辑思维与批判性思维，都是大脑从不同的角度、深度和跨度去反映客观事物所反映的创造性思维，彼此之间相互交叉、综合发生，既有个性，也有共性。

第三节 创造性思维的应用与实践

一、创造性思维的应用

1. 学校方面

学校是学生完成系统知识建构和培养思维创造性的重要场所。教育是依据学校所秉承的教育理念、所设定的课程规划来进行的具有明确对象的活动。学校所秉承的教育理念对应的就是所组织的教育实践，所设定的课程规划对具体的教育实践具有极大的指导意义。学校要紧跟国家政策动向，依据社会人才需求、学科特性、基本学情等合理规划教学活动。

学校的教育理念应跟随时代的发展和进步，与时俱进。古代教育理念遵从"学而优则仕"，从"好学者"到"为官为政"，从培养君子到实施仁政、德政；现代教育理念更多强调的是德智体美劳全面发展，社会要求的要自觉遵循"社会主义核心价值观"和正能量同时体现在教育理念中。学校的教育理念还应不断探索全新的教育理念以适应不断变化的学情。创造性思维的培养要求个体应具备创新创造能力，也就是对未知事物的无限好奇，敢于对未知领域进行探索，勇于深入研究创造，注重对能力的培养，逐渐适应个体思维发展的需要。

学校的课程规划是在基础教学过程中，遵循学生的特点，从学校总体培养目标出发所建立的适应学生发展需求的体制，同时建构课程与学生之间相适合的教学内容。合理的课程规划可以将课本与实践相结合，理论与实践相互作用，以提升学生的学习兴趣，促进其进行有意义的主动学习，激发其创造性；合理的课程规划也可以促使教师不断加强对实践的吸收，将从日常生活中所获得的认识同对课程的理解相结合，直接经验和间接经验相互作用，以充实教师的理论和实践内涵，提高教师对学生创造性思维的培养能力。

2. 教师方面

教师的实践教学工作对学生创造性思维的培养具有直接作用。托伦斯认为："要使师生关系朝着有利于创造力的方向发展，不应当把它建筑在'刺激——

反应'的基础上,应当建立在有着生动的相互关系和共同体验的基础上。"这实际上是将教学重心从"教"转移到"学"上,那么首先应解决教师"教"的问题,也就是对教师自身创造性思维能力的要求;其次是教师对学生"学"的问题的解决。

对教师而言,其自身应具备较高的创造性思维能力和思考反馈能力。在现实教学过程中,一个缺乏创造性思维的教师很难培养出具备创造性思维的学生。因此,教师首先应具有创新精神。不照本宣科,不墨守成规,敢于打破书本的禁锢,从书本出发但不拘泥于书本的固定内容,能将实践中的经验与理论有机融合,输出内容的同时也要鼓舞学生自觉输出,相互间保持平等关系,宽松的教学环境更能激发学生的创造性。

在学生"学"的过程中,教师应发挥引导者的角色。首先是教会学生自主学习,使其可以自觉学习、自动学习。作为教师不应在学生刚接触到某一知识点时就将该知识点的相关内容进行全部讲授。但在实际教学过程中,学生在某一问题上存疑或是无法解决时,教师在第一时间就对其进行了"答疑释惑",这样就显得过于心急。在遇到问题时,凡是需要求助于教师进行解决的,教师可以先对问题进行评判,但不对其结论或调查下结论,让学生自行解决,可以提供思路,但不能提供具体的解题步骤,这样不仅能够培养学生的独立思考能力,加强教师与学生、学生与学生间的互相协作能力,也能让学生对某一事物进行深刻的认识,从而全面而充分地掌握其知识点。其次是教师对于学生在"学"的过程中要"容错",容许学生犯错,尤其是容许学生的"创造性错误"。在学生个人或集体进行创造时,出现错误非常正常,尤其是在遇到相似性的问题时,教师应鼓励学生"犯错",错误的出现能激发学生对问题的敏感度,一个感觉敏锐的人更能产生联想,发现其中的区别与联系,从而发现新的信息用以解决问题。在学生的兴趣点达到顶峰时,其创造性思维的培养也就形成了。

3. 学生方面

对学生创造性思维培养的方式多种多样,但在其思维形成之前不仅应正确认识自我,正确认识自己的价值,有意识地挖掘自身的潜能,还应明确职责,树立正确目标,注重多样化发展。

正确认识自我,就是学生面对高压与懈怠时,能够从自身价值出发,转换被动接受为主动接受,增强自我意识,培养自我创造力。在增强自我意识、培养创造力时,要从思想上进行"断奶",将以往对于教师和家长的监督所产生的适应性及时摒除,有意识地进行自我探索和发现新事物,敢于在课堂上表达自己的想法和观点,转变课堂上普遍存在的一遇到提问就低头的现象,勇敢地抬起头,把头脑从固有思维的条条框框中解放出来,积极勇敢地探索新世界,激发自我潜能,形成创造性思维方式。

前人"为中华崛起而读书",习近平总书记"我将无我,不负人民",从中我们可以感受到"鸿鹄之志",可以学习到责任和目标的重要性,也能推及自身。作为学生,也应树立自己远大的"鸿鹄之志",做一名合格的人,明确自身职责,注重多样化的发展。俗话说,能力与责任成正比关系,学生阶段的责任在于对学习内容的全面掌握与应用。因此在这一阶段,学生应积极培养创新精神,促进创造性思维的形成。打破固有理念和思维方式,让学生敢于表达、勇于突破,是敦促创造性思维产生的重要前提和保障。学校与教师的联合培养,可以使学生不必担心错误的出现,不迷信知识和权威,敢于提出质疑和批判。鼓励学生积极探索并发现现有教学体制中存在的不足之处,这对学生而言是好奇心得到满足、创造性得到释放、个性化得到培养的重要途径;对学校和教师而言是体制的完善和理念的进步。

二、创造性思维的实践

1. 清华大学 x-lab(清华 x-空间)

清华 x-lab 是由清华大学经济管理学院于 2013 年 4 月 25 日发起的,由清华大学校内 15 个院系共同组建,这 15 个学院涵盖了理科、文科、工科、医学和艺术等多个学科,覆盖范围广、面积大。它是一个集创意、创新和创业于一体的教育服务平台,旨在服务清华大学全校的师生、校友等,培养具有创意、创新和创业的人才,并以学生的创造力教育为中心。

钱颖一教授强调,清华 x-lab 的探索历程实际就是探索创意创新创业新模式的过程,"它打破了传统的商学院和管理学院的教育模式,围绕培养具有创造力的人才精心建设了三个平台:学生的教育平台、团队的培育平台、资源聚集和学科交叉的生态平台"。其组织的各类课程、讲座、训练营和实践活动等对于平台的运行提供保障,同时也推进更多学生、校友等参与进来,不断更新平台信息。

清华 x-lab 还有一个独特之处在于，自我国在 2015 年提出"大众创业、万众创新"的"双创"后，清华大学并没有如一些高校一样盲目开展"双创"，而是坚持从创意出发，把创意作为出发点置于创新和创业之前。从学生角度出发，创意是源于好奇心和想象力，保持对事物的好奇心和想象力就如同始终将直觉思维和发散思维贯穿其中，不仅极大地推动了创新创业的进程，同时也将创造性思维融入其中。

2. 武汉大学"三创"教育模式

武汉大学是全国最早提出"三创"（创造、创新、创业）教育理念，开展"三创"教育的高校，也是国家大学生创新创业训练计划首批高校之一，其"三创"教育思想还被写入《武汉大学本科教学改革与发展行动计划》，以文件的形式正式确定了"三创"教育的培养理念。

武汉大学"三创"教育模式主要从三个方面践行创造性思维。一是注重对青年教师的培养。包括成立青年教师教学联谊会、建设"教师工作坊"实体平台、国内外知名学者进校分享会、教师教育发展论坛等，旨在提升青年教师的学识与能力，促进教师间的交流学习。二是学生培养模式。学校从成人教育、通识教育出发，不仅要让学生成人，还要成材，注重学生能力的培养，建构人才培养机制，实施创新制学分，鼓励学生进行创新创业，并予以奖励；针对学生的兴趣偏向设定选修课，增加优质选修课，鼓励学生自主学习。三是"三创"平台建立。开展创造创新创业教育、服务和实践平台，整合校内外资源，学校不仅完善了配套设施，加大了资金支持力度，建设了创新创业实践中心，设立了"三创"教育基金，而且还将下乡、社区行等实践活动引入校园，让学生更早地接触到社会实践，提高其适应性和创造性。

3. 麻省理工学院"研究——学习——行动"模式

麻省理工学院是世界理工类高等学府中的佼佼者，素有"世界第一理工大学"之称，也是诺贝尔奖得主最多的大学。自建校以来，十分重视对学生创新精神和创造性思维的培养。

麻省理工学院一直以"在麻省理工学院，我们陶醉于一种边做边学的文化"而自豪，其所采取的"研究——学习——行动"相整合的教学模式，通过科研让学生了解到专业的前沿知识，并在科研中不断学习内化，从而外化为实际行动。这样的教学模式在其课程设计中表现得尤为明显。

麻省理工学院在课程设计方面跨度较大，主要包括三个方面，分别是核心课程、系要求课程和自由选修课程。核心课程就是我们常说的必修课程，包括自然科学类、人文、艺术和社会科学类、交流课。系要求课程主要是个人针对专业领域所选的专业课程。自由选修课程可以根据自己的兴趣爱好或职业偏向选择适合自己的选修课。在这些课程中，值得注意的是作为基础的通识课。通识课的开设可以有效地将目前世界的前沿讯息进行传送，课堂上的自主讨论也有利于信息素的再次提取，从而在更广泛的环境中传播，学生间的小讨论最终也有可能转换为国家间的交融，这也是"研究——学习——行动"教育模式所做出的巨大贡献。

这些国内外高水平大学在创造性思维的实践中发挥了极其重要的作用，不论是对其模式的不断探索还是相互借鉴，都极大地促进了创造性思维的培养。它们的实践是理论的实践推行，也是经验的借鉴。

思 考 题

1. 创造性思维的类型有哪些？

2. 两条火车轨道除了在隧道内的一段外都是平行铺设的。由于隧道的宽度不足以铺设双轨，因此，在隧道内只能铺设单轨。一天下午，一列火车从某一方向驶入隧道，另一列火车从相反方向驶入隧道。两列火车都以最高的速度行驶，然而，它们并未相撞。这是为什么？

3. A、B、C、D四个孩子在院子里踢足球，他们把一户人家的玻璃打碎了。当房主人问他们是谁踢的球把玻璃打碎时，他们谁也不承认是自己打碎的。房主人问A，A说："是C打的。"C则说："A说的不符合事实。"房主人又问B，B说："不是我打的。"再问D，D说是"A打的。"已经知道这四个孩子当中有一个很老实、不会说假话，其余三个都不老实，都说的是假话。请你分析一下：说真话的孩子是谁？打碎玻璃的孩子又是谁？

第四章

创造性思维概述

课程目标

了解思维的概念、分类和特征；
理解创造性思维的概念、构成要素以及创造性思维对创业的作用；
掌握创造性思维的一般属性。

重点难点

教学重点：创造性思维的一般属性。
教学难点：创造性思维的辩证性。

案例导入

欲进而退的 U 型思维

中国有句古话，叫作"退一步海阔天空"。表面上来看，说的是要退，但其本意却是以退为进。这种思想的思维基础是 U 型思维，其实质是迂回而进。

玩魔方的人都知道，要想把某一颜色的魔块放到想定的位置，无论如何都不能径直去放。如果径直去放，肯定会欲速不达，必须先把这个魔块放到另一个适当的位置上，而后再徐图而进。也就是说，如果没有足够的退却，那么就不会有大踏步的前进，这实质也是欲进而退的规律在起作用。

军事史上关于这方面的事例实在不少。第二次世界大战中，希特勒调集4个德国师和1个意大利师的联合特种部队以及南斯拉夫傀儡军队，欲集中围剿铁托领导的主要解放区，企图一举消灭这支民族解放力量。为粉碎纳粹的阴谋，铁托率领由4个师组成的突击队并掩护4000名伤员，欲向东南方向突围，转移到门的哥罗地区。要取得这次规模巨大、事关全局的战略转移的成功，最关键的是必须要安全渡过涅列特瓦河。

很快，铁托的突击部队被德军堵在了河的左岸。为尽快过河，突击部队几次向桥头发起冲击，都被德军密集的火力击退，形势十分危急。在生死存亡的关键时刻，铁托一反常规地果断命令："炸桥！""轰！"只听一声巨响，大桥塌了一段。炸桥后，铁托命令部队迅速撤退。德军对此行动迷惑不解，以为铁托的部队并不是要过河，而是为了阻止德军过河进攻，所以才有炸桥的举动。于是，德军大呼上当，连忙转而追击。

看到德军真的上当后，铁托的部队兜了一个大圈子，神速地折回桥头。这时，河对岸已无一兵一卒把守。突击队迅速挖好工事，建立桥头阵地，做好阻击准备。同时，部队以最快速度借助原来的旧桥墩，连夜在断桥处搭起一座简便吊桥，将坦克、大炮等重武器全部推到河里，作战人员只携带轻武器，扶着轻伤员，抬着重伤员，闪电般地渡过了涅列特瓦河。

结果，德军拼命追击，以为合围成功，朝着山谷持续炮击，并动用轰炸机疯狂轰炸，闹腾了好几天，才发现大山空空如也。

突击部队全部过河后，随着整个大桥被炸毁，宣告了德军计划的彻底失败。

这里所谓的U型思维，采用的是心理学上因势利导的科学方法，即欲取之，必先予之，让思维和行动来个180度的大转弯。

（资料来源：搜狐新闻）

第一节　创造性思维概述

一、思维概述

创造性思维是人脑借助于语言对客观事物的概括和间接的反应过程。思维以感知为基础又超越感知的界限。通常意义上的思维，涉及所有的认知或智力活动。它探索与发现事物的内部本质联系和规律性，是认识过程的高级阶段。

（一）思维的分类

根据思维活动所凭借的工具不同，可将思维分为动作思维、形象思维和抽象思维。动作思维是以具体动作为工具，解决直观而具体的思维。形象思维是以头脑中的具体形象来解决问题的思维活动。抽象思维是以语言为工具进行的思维。

根据在解决问题时思维活动的方向和思维成果的特点，可将思维分为辐合思维和发散思维。辐合思维是人们利用已有知识经验向一个方向思考，得出唯一结论的思维。发散思维是人们沿着不同的方向思考，得出大量不同结论的思维。

根据思维活动及其结果的新颖性，可将思维分为常规思维和创造思维。对已有知识经验没有进行明显的改组，也没有创造出新的思维成果的思维叫作常规思维。对已有知识经验进行明显的改组，同时创造出新的思维成果的思维叫作创造思维。

（二）思维的特征

思维具有概括性和间接性两个典型特征。思维是对客观事物概括的表征，即思维具有概括性。所谓概括的表征，是指思维活动所表征的是客观事物的本质属性（或称共同特征），而不是客观事物的具体形象；是客观事物变化的规律，而不是客观事物的具体变化。

思维的间接性。事物本质是隐含在事物内部的，事物变化的规律，是包含在各种复杂的变化中的，它们不能被直接观察到，必须以已有的知识和客观事物的知觉印象为中介，才能被认识到。

二、创造性思维的构成要素

何谓创造性思维，目前学术界对此尚无统一论定。各方专家已从不同的角度、不同的方面对其做了很多的提法和阐释。从广义上来看，所谓创造性思维，是指创造者利用已掌握的知识和经验，从某些事物中寻找新关系、新答案，创造新成果的高级的、综合的、复杂的思维活动。第一层含义是创造性思维的基础是创造者已掌握的知识和经验；第二层含义是创造性思维的结果是创新，即需要从某些事物中寻找新关系、新答案，创造新成果；第三层含义是创造性思维是一种高级的、综合的、复杂的思维活动。

从狭义的理解来看，所谓创造性思维，也可具体地指在思维角度、思维过程的某个或某些方面富有独创性，并由此而产生创造性成果的思维。也就是说，在整个思维中的更具体的方面，如他人意想不到的某个思维角度，在整个思维过程中的某一小阶段，其思维具有独特性和新颖性，而且主要是因为其独创性和新颖性产生了创造性成果的思维。

美国心理学家科勒期涅克认为，创新思维就是发明或发现一种新方式，用以处理某些事情或表达某种事物的思维过程。对于创新思维的理解，首先它是能够产生创造性后果或成果的思维；其次，它是在思维方法、思维形式和思维过程的某些方面富有独创性的思维。所以说，创新思维就是思维本身和思维结果均具有创造特点的思维。创新思维并非是少数发明家、天才人物才具有的素质，而是任何一个正常人都具备的一种思维方式。

一位诺贝尔奖获得者说过，科学史上的每一项重大突破，总是由某些杰出的科学家完成最关键或最后一步，他们之所以能超过前人和同时代人，做出划时代的贡献，并不在于他们比别人的知识更渊博，重要的在于他们富于科学革命精神和高度的创造性思维。思维是人类区别于其他动物的最根本的特征，恩格斯称其是地球上最美丽的花朵。而创造性思维则是人类所特有的最高级、最复杂的精神活动，是地球上最美丽的花朵中的奇葩。千百年来，人类凭借创造性思维不断地认识世界和利用世界，创造出了数不胜数的物质文明和精神文明成果。

三、创造性思维对创业的作用

创造性思维是一种具有开创意义的思维活动,即开拓人类认识新领域、开创人类认识新成果的思维活动。创造性思维是以感知、记忆、思考、联想和理解等能力为基础,以综合性、探索性和求新性为特征的高级心理活动。它需要人们付出艰苦的脑力劳动。一项创造性思维成果的取得,往往要经过长期的探索、刻苦的钻研,甚至多次的挫折之后才能取得,而创造性思维能力也要经过长期的知识积累、素质磨砺才能具备,至于创造性思维的过程,则离不开繁多的推理、想象、联想和直觉等思维活动。

创造性思维具有十分重要的作用和意义。创造性思维是将来人类的主要活动方式和内容。创造性思维是人类的高级心理活动。创造性思维是政治家、教育家、科学家、艺术家等各种出类拔萃的人才所必须具备的基本素质。因此,心理学家认为,创造性思维不仅能提示客观事物的本质及内在联系,而且能在此基础上产生新颖的、具有社会价值的前所未有的思维成果。

四、创造性思维的辩证性

创新行为在我们的日常生活中随处可见,是每一个人都有可能做到的事。其实,创新不仅非常普遍,而且是一个有逻辑、有套路的思维方式,以色列国家创新研究院常务理事阿姆农列瓦夫就说过:"创新可以复制,灵感可以生产。"

辩证思维是指能运用唯物辩证观点来观察、分析事物——尊重客观规律,重视调查研究,一切从实际出发,实事求是;能用对立统一的观点看问题,既要看到事物之间的对立,也要看到事物之间的统一和在一定条件下事物之间的相互转化;既要看到事物的正面,也要看到事物的反面;既能从有利因素中看到不利因素,也能从不利因素中看到有利因素。总之,辩证思维是两点论不是一点论。

在我国古代的优秀文化遗产中,运用辩证思维的例子可谓比比皆是,有些已经家喻户晓、深入人心。比如"庖丁解牛""曹刿论战""曹冲称象""邹忌讽齐王纳谏"以及刘禹锡的诗……都包含着深刻的辩证逻辑思维。其中绝大部分都已编入中小学语文或历史教材中,如能很好地运用这些教材,将会对我国青少年创造性思维能力的培养发挥不可估量的重要作用。"曹冲称象"就是对青少年进行辩证思维能力培养的极好范例。

这个故事中所包含的辩证逻辑思维，即从错误意见中吸纳合理的因素。曹冲正是吸纳了两位大臣错误意见中的合理因素——设法找一个能承受大象重量又不用人手去提的大秤，根据日常的生活经验，船正好能满足这种要求，然后他又想到利用石块代替大象可以实现"化整为零"。正是这种辩证思维加上生活经验积累和敏锐的观察，使曹冲创造性地解决了他所处时代一般人所不能解决的难题。

由于辩证思维是从哲学高度为创造性思维活动提供解决问题的思路与策略的，所以它不仅在创造性思维活动的关键性突破这一环节中有至关重要的意义，而且在整个创造性思维过程中都有不容忽视的指导作用。例如，在创造性思维的起始阶段，要靠发散思维起目标定向作用，以便解决思维的方向性问题。发散思维之所以能给基本思维过程指引正确的方向，是依靠三条指导方针：同中求异、正向求反和多向辐射。不难看出，这三条指导方针的每一条无一不体现着对立统一思想。同——异、正——反皆是矛盾的两个对立面，而"多向辐射"则与集中思维的"单向会聚"构成对立统一关系，是辩证思维的具体体现。所以，发散思维实际上也可看成是辩证思维在创造性思维起始阶段的另一种表示形式。

至于形象思维、直觉思维和时间逻辑思维，由于它们都是人类的基本思维形式，当然不可能像发散思维那样，在实质上等同于辩证思维。不过，思维的目的既然是要对事物的本质属性或事物之间的内在联系规律做出概括的反映，那么如何才能更有效地做出这种反映。众所周知，唯物辩证法作为马克思主义哲学的宇宙观、方法论，是使人类思维具有全面性、深刻性和洞察力的根本保证。因此，在整个思维过程中只有运用唯物辩证观点做指导，才有可能使人类的基本思维形式有效地满足上述思维目的的要求。

五、创造性思维的前瞻性

前瞻的意思是展望、预测。创造性思维的前瞻性就是要求创业者在创业过程中能够深思熟虑，看待一件事情，不只是看表面，更注重事件背后所隐含的深层次的本质上的东西，看待问题比较全面客观。在前瞻性思维的指导下，能更有效、更能动地处理工作中所遇到的问题。

第二节 创造性思维的一般属性

一、创造性思维的一般属性

创造性思维具有独创性、多向性、综合性、联动性和跨越性等属性。

（一）创造性思维的独创性

独创性是创造性思维的基本特点。创造性思维活动是新颖的独特的思维过程，它打破传统和习惯，不按部就班，向陈规戒律挑战，对常规事物持怀疑态度，否定原有的条框，锐意改革，勇于创新。在创造性思维过程中，人的思维积极活跃，能从与众不同的新角度提出问题，探索开拓别人没认识或者没完全认识的新领域，以独到的见解分析问题，用新途径、新方法解决问题，善于提出新的假说，善于想象出新的形象，思维过程中能独辟蹊径，标新立异，革新首创。

（二）创造性思维的多向性

创造性思维不受传统的单一的思想观念限制，思路开阔，从全方位提出问题，能提出较多的设想和答案，选择面宽广。思路若受阻，遇有难题，能灵活变换某种因素，从新角度去思考，调整思路，善于巧妙地转变思维方向，产生适合时宜的新办法。

（三）创造性思维的综合性

创造性思维能把大量的观察材料、事实和概念综合在一起，进行概括、整理，形成科学的概念和体系。创造性思维能对占有的材料加以深入分析，把握其个性特点，再从中归纳出事物的规律。

（四）创造性思维的联动性

创造性思维具有由此及彼的联动性，是创造性思维所具有的重要的思维能力。联动方向有三个：一是看到一种现象，就向纵深思考，探究其产生的原因；二是逆向，发现一种现象，则想到它的反面；三是横向，能联想到与其相似或相关的事物。总之，创造性思维的联动性表现为由浅入深，由小及大，触类旁通，举一反三，使我们获得新的认识、新的发现。

（五）创造性思维的跨越性

创造性思维的思维进程带有很大的跨越性，它省略了思维步骤，思维跨度较大，具有明显的跳跃性和直觉性。

逻辑思维又称抽象思维，是思维的一种高级形式。其特点是以抽象的概念、判断和推理作为思维的基本形式，以分析、综合、比较、抽象、概括和具体化作为思维的基本过程，从而揭露事物的本质特征和规律性联系。抽象思维既不同于以动作为支柱的动作思维，也不同于以表象为凭借的形象思维，它已摆脱了对感性材料的依赖。抽象思维一般有经验型与理论型两种类型。前者是在实践活动的基础上，以实际经验为依据形成概念，进行判断和推理，如工人、农民运用生产经验解决生产中的问题，多属于这种类型。后者是以理论为依据，运用科学的概念、原理、定律和公式等进行判断和推理。科学家和理论工作者的思维多属于这种类型。经验型思维由于常常局限于狭隘的经验，因而其抽象水平较低。

二、创造性思维的特点

创造性思维是在一般思维的基础上发展起来的多种思维的综合，有以下四个特点：

（一）发散思维和集中思维的统一

我们要解决某一创造性问题，首先要进行发散思维，设想某种可能的方案，然后再进行集中思维，通过比较分析确定一种最佳方案。在创造性思维中，发散思维和集中思维都非常重要，二者缺一不可。然而，对于创造性思维来说，发散思维更为重要，它是思维创造性的主要体现，它可以突破思维定势和固有的局限，重新组合已知知识经验，找出许多新的解决问题的可能方案，它是一种开放性的，没有固定的模式、方向和范围的，可以"标新立异""海阔天空""异想天开"的思维方式。没有发散思维就不能打破传统的条框，也不能提出全新的解决方案。

发散思维有三个指标：

1）流畅性。它是发散思维的量，单位时间内发生的量越多，流畅性越好。

2）变通性。它是指思维在发散方向上所表现出的变化。

3）独创性。它是指思维发散的新颖、新奇和独特的程度。

集中思维在创造活动中发挥着极大的作用。当通过发散思维提出种种假设和解决问题的方案和方法时，并不意味着创造活动的完成，还需从这些活动方案和方法中挑选出最合理、最直接的接近客观现实的设想。这一任务的完成是靠集中思维来承担的，集中思维具有批判选择的功能。

（二）直觉思维的出现

直觉思维是指经过一步一步地分析，进而迅速地对问题的答案做出合理猜测、设想或突然领悟的思维，它是创造性思维活跃的一种表现，它不仅是创造发明的先导，也是创造活动的动力。使用直觉思维得到的结果是使用逻辑思维所得不到的预见和捷径，或是解决问题的最佳方案的雏形。它往往从整体出发，用猜测、跳跃和压缩思维过程的方式，直接而迅速地领悟问题的答案。许多科学家的发明创造都是从直觉思维开始的。例如，达尔文通过观察植物幼苗顶端向阳光弯曲，直觉提出其中有某种物质跑向背光一面的设想。后来，随着科学的发展，它的设想被证明，确有"某种物质"及"植物生长素"。数学领域中的哥德巴赫猜想，费尔马猜想等都是当初数学大师未经论证而提出的一种直觉判断，但为后人所确信，并为此进行了论证。直觉思维作为创造性思维的一个重要思维活动，具有三个特点：一是从整体上把握对象，不是拘泥于细节末枝；二是对问题的实质的一种洞察，不是停留于问题的表面现象；三是一种跳跃式思维，不是按部就班地展开思维过程。直觉思维是在知识经验基础上形成和进行的，丰富的知识经验，有助于人们形成深邃的直觉。

（三）创造想象的参与

创造性思维有创造想象的参与。因为创造性思维的成果都是前所未有的，而个体在进行思维时借助于想象，特别是创造想象来进行探索。创造性思维只有创造想象的参与,才能从最高水平上对现有的知识经验进行改造和组合,从而构筑出最完整、最理想的新形象。例如,牛顿万有引力定律的提出就是以地球绕太阳运转、月亮绕地球运转、大海潮汐现象、苹果落地等事实为前提,先在头脑中进行创造想象,然后进行推理而产生的。爱因斯坦在高度抽象的物理领域中有许多杰出的创造性成果,他大多是运用创造想象来进行研究的。他对想象力的评价:"想象力比知识更重要,因为知识是有限的,而想象力概括着世界的一切,推动着进步,并且是知识进化的源泉。严格地说,想象力是科学研究的根本因素。"

(四)灵感的出现

在创造思维过程中,新的解决问题的思路和方案的产生往往带有突然性,这种突然产生新思路和新方案的状态,被称为灵感。它常给人一种豁然开朗、妙思突发的体验,使百思不得其解的问题得到顿释。通过对许多科学家的调查发现,他们的发明创造过程中大多数出现过灵感。灵感并不是什么神秘之物,它是思考者长期积累知识经验、勤于思考的结果。研究表明,灵感的出现有一定的规律性。首先,灵感出现的基本条件是个体对所要研究的问题有一个长时间的思考,要反复考虑所要解决问题的一切方面、一切角度及一切可能。这种苦思冥想是灵感产生的前提。其实灵感的出现是对某一问题的一切方面经过深入考虑之后所达成的瓜熟蒂落、水到渠成的境界。其次,注意力高度集中在所要解决的问题上,甚至达到痴迷的程度,这样可以全心地投入思考,使要解决的问题,时时环绕在心。最后,灵感出现的最佳时机是在长期紧张思考之后短暂放松状态下出来的,因为紧张后的放松,大脑灵活,感受力强,最易产生联想和触发新意。

三、创造性思维的过程

创造性思维在解决问题的活动中,需要一定的过程。心理学家对这个过程也做过大量的研究。比较有代表性的是英国心理学家 G. 华莱士所提出的四阶段论和美国心理学家艾曼贝尔(T. Amabile)所提出的五阶段论。G. 华莱士认为,任何创造过程都包括准备阶段、酝酿阶段、豁朗阶段和验证阶段四个阶段。而艾曼贝尔从信息论的角度出发,认为创造活动过程由提出问题或任务、准备、产生反应、验证反应和结果五个阶段组成，并且可以循环运转。以下是 G. 华莱士的四阶段。

（一）准备阶段

准备阶段是创造性思维活动过程的第一个阶段。这个阶段是搜集信息，整理资料，做前期准备的阶段。由于对要解决的问题存在许多未知数，所以要搜集前人的知识经验来对问题形成新的认识，从而为创造活动的下一个阶段做准备。如爱迪生为了发明电灯，据说，仅收集资料整理成的笔记就有 200 多本，4 万多页。可见，任何发明创造都不是凭空想象，都是在日积月累，大量观察研究的基础上进行的。

（二）酝酿阶段

酝酿阶段主要对前一阶段所搜集的信息、资料进行消化和吸收，在此基础上，找出问题的关键点，以便考虑解决这个问题的各种策略。在这个过程中，有些问题由于一时难以找到有效的答案，通常会把它们暂时搁置。但思维活动并没有因此而停止，这些问题会时刻萦绕在头脑中，甚至转化为一种潜意识。在这个过程中，容易让人产生狂热的状态，如"牛顿把手表当成鸡蛋煮"就是典型的钻研问题狂热者。在这个阶段，要注意有机结合思维的紧张与放松，使其向更有利于解决问题的方向发展。

（三）豁朗阶段

豁朗阶段即顿悟阶段。经过前两个阶段的准备和酝酿，思维已达到一个相当成熟的阶段，在解决问题的过程中，常常会进入一种豁然开朗的状态，这就是前面所讲的灵感。如耐克公司的创始人比尔·鲍尔曼，有一天，他正在吃妻子做的威化饼，感觉特别舒服。于是，他被触动了，如果把跑鞋制成威化饼的样式，会有怎样的效果呢？于是，他就拿着妻子做威化饼的特制铁锅到办公室研究起来，之后，他制成了第一双鞋样。这就是有名的耐克鞋的发明。

（四）验证阶段

验证阶段又叫实施阶段，这一阶段主要是把通过前面三个阶段形成的方法和策略进行检验，以求得到更合理的方案。这是一个否定——肯定——否定的循环过程。通过不断的实践检验，从而得出最恰当的创造性思维过程。

四、创造性思维因子

大学生创造性思维的影响因素多种多样，有人把它们分为智力因素和非智力因素，也有人把它们分为学业成就和性别差异。我们主要从内在因素和外在因素两方面对创造性思维因子进行探讨。

（一）外在因素

1. 经济因素

社会生产力的提高，促进了物质领域的发展。发明和革新一般出现在物质文化领域中，社会生产力是创造的重要条件。生产的发展以及生产水平的提高，给创造性活动提供了良好的物质条件和物质手段，而生产的发展，又不断让人们有新的思考，鼓励人们去探索世界的奥妙，新的创造就是在这种需要的推动下产生和发展的。有人对青海大学生创造性思维现状进行了调查，调查结果发现，青海地区大学生发散思维的发展水平相对较低，即在短时间内发表的观点有限，思维容易受到定势和功能固着的负面作用，新颖、独特的见解相对较少，这种状况与青海地区相对落后的经济和教育水平有着密切的关系。

2. 文化因素

文化因素主要体现在传统文化的负面影响效应上。儒家文化是中华民族的主流文化，它对于中华民族的发展有着深远的影响，但同时它使我国人民缺少形成创造性人才的良好社会环境。儒家提倡的"不偏不倚，无过无不及，过犹不及"的中庸思想，道家提倡的"谦下不争""不敢为天下先"的避世思想，对中华民族的大众心理和民族性格影响深远。彭旭、胡弼成等人曾提出传统的儒家文化对大学生创新能力的培养有着不可忽视的作用。他们认为，传统儒家文化在科学精神、师生关系、学习风气、功利价值、管理模式等方面有碍大学生创新能力的培养。

3. 教育因素

教育因素主要体现在教育观念的滞后。尽管近年来素质教育不断深化改革，但是社会、学校和家庭对创新教育的关注度仍然不足。学生的成绩才是民众最为重视的热点,对学生创造性思维的培养则不受重视。对孩子的教育,过于强调知识传授,忽略对创造性思维的培养等。针对大学生调查结果表明,学生在课外科技活动中存在着许多问题,如专业知识匮乏、宣传力不足、资金和场所欠缺、专业教师的指导以及活动内容和形式单一、活动中对创造性思维培养的重视度不够等。

(二)内在因素

1. 情绪因素

原始情绪状态和即时诱发情绪都会对创造性思维产生影响。具体而言,当个体处于积极情绪状态或消极情绪诱发状态下,创造性思维有较高的产出,而且这两个自变量之间存在着一定的交互作用。此外,情绪调节也有助于个体形成创造性思维。

2. 智力因素

智力是个体认识能力和活动水平所能达到的程度,是多种能力的综合,包括观察力、记忆力、思维能力、想象能力、实践能力等。这些能力对科学创新和创造性思维都起到了非常重要的作用。非智力因素,即兴趣、情绪、意志、性格与道德情操也会对创造性思维产生一定的影响。智力因素与非智力因素都会对创造性思维产生积极的影响,两者相辅相成,缺一不可。

3. 性别因素

性别对个体创造性的形成起着重要的作用。据统计,从诺贝尔奖设立至今,获此殊荣的女性屈指可数。而古今中外杰出的女科学家、女发明家及女思想家也是罕见的。通过研究表明,在创造性思维方面,男女在流畅性和言语得分上存在着显著差异,女生成绩高于男生,而在变通性、独创性、图形得分和量表总分上,两者不存在差异。

4. 认知因素

创造性思维的影响因素有很多,包括知识结构、各种思维能力、元认知能力、认知因素等,其中认知因素起到了非常重要的作用,如迁移、启发、思维定势、表征、酝酿。思维定势对创造性思维具有很大的影响,它包括心理定势、文化定势、从众定势、权威定势和经验定势等诸多方面。

5. 个性品质因素

创造性思维受家庭、学校教育、社会文化及个体品质的影响。个体品质与创造性思维的关系是最为密切的,如兴趣、好奇心、自信心、恒心、独立性等个性特点,它们都会在一定程度上影响创造性思维的发展。

五、常见的创造性思维障碍

(一)习惯型思维障碍

习惯型思维障碍是人们不由自主地经常犯的一种错误,无论是古人还是现代人都不可避免。

习惯型思维并不总是有害的。对于有些简单的问题,如日常生活中的小事,按照习惯去思考、去行事,可能节省时间,或者少费脑筋。例如,写字是先找纸还是先找笔,早上起来是先洗脸还是先刷牙,各人有各人的习惯,都无不可。人的思维不仅有惯性,还有惰性,对于比较复杂的问题如果如法炮制,那么就会使我们犯错误,或者面对新问题一筹莫展。

(二)直线型思维障碍

人们由于在解决简单问题时只需用一就是一,二就是二,或 A=B、B=C,则 A=C 这样的直线型思维方式就可以,往往在解决复杂问题时也是如此。在学习时,虽然也遇到过稍微复杂的数学问题、物理问题,但多数情况下是把类似的例题拿来照搬;对待需要认真分析,全面考虑的社会问题、历史问题或文学艺术方面的课题,经常是死记硬背现成的答案。这样就养成了直线型思维习惯。如果没有打破直线型思维的训练和实践,即使是比较有经验的人也免不了陷入思维的误区。

(三)权威型思维障碍

在长期的学习、工作和生活中,逐渐形成了对权威的尊敬甚至崇拜。这是因为权威或是领导,或是长辈,或是专家,社会舆论也经常把有学问、有经验的人广为宣传,使他们的名望更高。尊重权威当然没有什么错,但一切都按照权威的意见办事,不敢怀疑权威的理论或观点,不敢逾越权威半步,就成为创新思维的极大障碍。权威的意见只是在一定时间，一定范围是正确的，而实践才是检验真理的唯一标准。最有名的例子是莱特兄弟发明飞机的故事。当普通的自行车工莱特兄弟要发明飞机时，许多有名的物理学家都提出了否定的意见，甚至说要想让比重比空气大的机械装置在空气中浮起来是不可能的事情。然而莱特兄弟不迷信权威，经过多次实验，终于让世界上第一架飞机飞上了蓝天。权威人物被自己的知识和经验限制住了，自己给自己设置了思维上的障碍。不为权威的已有的意见所限制，没有任何框条，从头研究，反而能够取得成功。著名哲学家罗素有一次来中国讲学，他在讲台上首先提出了一个问题："2+2=？"，台下人都以为罗素会说出奇特的答案，听课的几百人面面相觑，无人作答，怕自己答错，被别人看不起。罗素笑着说，2加2等于4嘛，你们为什么不敢回答呢？无非是以为我的答案与常识不一样，你们千万不要迷信权威。英国皇家学会的会徽上就镶嵌着一行耐人寻味的字：不要迷信权威，人云亦云。我国著名画家齐白石曾说过：学我者生，似我者死。这些例子告诉我们，对于权威，应当学习他们的长处，以他们的理论或学说作为基础和起点，但不可一味模仿。

（四）从众型思维障碍

从众心理，就是不带头，不冒尖，一切都随大流的心理状态。在实际生活中，大多数人都可能因从众心理而陷入盲目性，明明稍加独立思考就能正确决策的事，偏偏跟着大家走弯路，这就是从众型思维障碍。一位心理学家做了一个实验：让一个人跟着另外4个人走进实验室，地上划着4条长度不等但相差不多的直线a、b、c、d，然后问：直线a与b、c、d中的哪条长度最接近？前面4个人都回答是c，后面那个人看了一会，认为是b（实际上这个答案是对的），刚想回答，心理学家说：再想一想，到底是哪条？他又想了一会儿，回答说：是c。为什么自己开始时的判断是正确的，后来却改口了呢？原来，当心理学家让他再想一想的时候，他想，难道人家4个人都错了，就我一个人是对的吗？不可能吧？这就是典型的从众心理现象。物理学家富尔顿由于研究工作的需要，要测量固体氦的热传导系数。由于他采用的是一种新的测量方法，测出的数值比过去公认的理论计算出来的数值高出500倍。富尔顿大吃一惊：这个差距也太大了！他迟疑了一阵，决定把这个结果束之高阁，没有告诉别人，也没有继续研究下去。没过多久，一位年轻的美国科学家在实验中也测出了和富尔顿相同的结果，而且把结果公布了出去，同时在此基础上发明了一种新的测量热传导系数的方法。由于这位科学家的数据和方法真实准确，科学界很快就给予了承认，还纷纷赞扬他的创断精神。富尔顿听说此事后追悔莫及，痛心地说：如果我当时除去习惯的帽子，戴上创新的帽子，那个年轻人绝不可能抢走我的荣誉。

（五）书本型思维障碍

很多人认为，一个人的书本知识多了，比如上了大学，读了硕士、博士，就必然有很强的创新能力。还有的人认为，书本上写的，都是正确的，遇到难题先查书，如果自己发现的情况与书本上不一样那就是自己错了。在这种认识的指导下，书上没有说的不敢做，书上说不能做的更不敢做；读书比自己多的人说的话百分之百地全信，一点也不敢怀疑。这种对于书本的迷信阻碍了人们去纠正前人的失误，探索新的领域。我们把这种由于对书本知识的过分相信而不能突破和创新的思维就叫作书本型思维障碍。书本知识固然是重要的，但是书本知识毕竟是经验的总结，时代发展了，情况变化了，书本知识也可能过时。诺贝尔物理学奖的获得者、美国物理学家温伯格说过一段很值得我们深思的话：不要安于书本上给你的答案，要去尝试下一步，尝试发现有什么与书本上不同的东西。这种素质可能比智力更重要，往往成为最好的学生和次好的学生的分水岭。正确的态度应当是既要学习书本知识，接受书本知识的理论指导，又要防止书本知识可能包含的缺陷、错误或落后于现实的局限性。在从事创新活动时，要对所应用的书本知识进行严格的检验，而检验的唯一标准是实践。

（六）自我中心型思维障碍

在日常生活中，我们常常可以看到有些人特别固执，思考问题时以自我为中心，阻碍了创新思维。这些人有的还是很有能力的，做出过一些成绩，但他们从此就觉得自己了不起。我们在取得了一定成绩或学到了一种本领之后，不要局限在自己已有知识或成果的范围内，不要以为按照自己的思维模式就可以以不变应万变。

（七）其他类型的思维障碍

还有一些思维障碍，在不同的人那里表现的严重程度不同。如自卑型思维障碍、麻木型思维障碍、偏执型思维障碍等。

1. 自卑型思维障碍

自卑型思维障碍就是非常不自信，由于过去的失败或成绩较差，受到过别人的轻视，产生了自卑心理。在这种心理的支配下，不敢去做没有把握的事情。

2. 麻木型思维障碍

麻木型思维障碍表现为不敏感，思维不活跃。有这种思维障碍的人注意力不够集中，兴奋不起来，对关键问题不能够及时捕捉。

3. 偏执型思维障碍

他们大多颇为自信，但有的是钻牛角尖，明知这条道路走不通，非要往前闯。喜欢跟别人唱对台戏，走了许多弯路还不愿回头。

六、突破思维障碍的方法

思维障碍抑制着我们的创新意识，使我们的创新能力难以得到进一步的提高。要提高创新和创造能力就应该突破思维障碍，而突破思维障碍的关键就是拓宽思维视角。具体方法如下：

（一）改变思考顺序

我们思考问题时常常按顺序思考，这样能使我们较为方便地找到问题的切入点，并且这样也的确能帮助我们解决一些问题，但客观事物的发展是千变万化的，凡事都按顺序思考未必能真实地反映事物的客观规律。

一个立志于创新的人，一定要深刻认识这种思考问题顺序的局限性。我们要多从事物的对立面考虑，也就是我们说的逆向思维。很多时候，逆向思维能将我们带入"山穷水尽疑无路，柳暗花明又一村"的境界。它站在问题的对立面，使问题得以有效解决。

（二）转化思维方式

哲学的基本原理告诉我们，世界万物是普遍联系的，这些相互联系的事物是可以转化的，在创新学里我们的转化更多指的是思维方式的转化：将直接转化为间接，将复杂转化为简单，将不可能转化为可能。思维方式的转化分为以下几点：

一是要改变自己的意识，如果自己不想创新，或不愿创新，那么即使有再多的创新方法提供给你也于是无补，要想创新首先要明确自己的意识，然后选择合适的方法去努力。二是要肯动脑，创新不是嘴上说说就能达到的，即使你有创新的意识，然而却不积极动脑，那也是不行的。三是态度要端正，不能盲从，要有较强的抑制力。

七、心理学视角和哲学角度下的创造性思维与创新创业

第一，意志的培养。意志是有意识的支配、调节行为，通过克服困难，以实现预定目的的心理过程。人的一切有目的的活动和行为都是意志活动。但是，日常生活，在这些具有目的性和方向性的活动和行为中，意志的因素表现得并不明显。但在创造性活动中，存在着巨大的障碍和困难需要去克服，目的性和方向性就表现得异常明显。在这种情况下，意志因素起着异常重要的作用。可以说，创造性活动也就是复杂的意志活动。

第二，内部动机的培养。这是由心理学家阿玛拜尔提出的创造性活动中一个非常重要的心理品质。有无创造意识和创造意识高低是与内部动机紧密联系的。某些外力的作用引起创造意识活跃起来，这是外部动机的作用。与外部动机相比，人的内部愿望更为重要。外部动机要发生作用，必须转化为人的内在需要。如果外部压力没有变成个人的愿望，那么创造意识就不可能活跃起来。

第三，自信的培养。自信是一种正确、积极的自我观念和自我评价，是一种对自己认可、肯定和支持的态度。自信心是个体所具有的自我肯定意识，它对一个人性格的形成具有重要的影响。自信的人，坚信自己以及自己所从事的事业的正确性，并坚信自己一定会取得成功。从事创造性活动尤其需要自信。

第四，心理安全这一心理素质的培养。罗杰斯提出"心理安全"这个概念，是针对个体创造性人格的发展所必需的条件表达出他的理解。个体的内部环境和外部环境都会影响其创造性人格的发展，而心理安全是内部环境的核心内容。为了说明心理安全，罗杰斯用农夫和种子的关系来打比方。虽然农夫不能使种子生长，但是他可以提供培育种子的条件，允许种子发展自己的潜能。同样的，

教师、专家以及其他希望促进人的发展的人们都能够建立心理安全的条件，允许个体发展。心理安全与三个过程相联系：接受个体，减少对个体的外部评价，以及对个体的移情理解。其中，无条件地接受个体是心理安全的核心。

第五，涌流这一心理素质的培养。美国心理学家米哈里·契科森米哈认为，涌流指一个人对某一项活动的专注状态，这种专注状态使这个人完全不在乎其他任何东西；对活动本身的体验就是如此得令人愉快，使从事这项活动是为了享受这项活动带来的愉悦，甚至不惜为此付出代价。如何才能做到这点呢？这里有几条具体的建议：每天带着一个要追求的特殊目标；把事情干好，它会令人开心；为了能保持欣赏事物的态度，需要增加事物的复杂性。

思 考 题

1. 试着为生命提出隐喻：生命的意义何在？
2. 请列举高创造力人物的若干特征。
3. 请推举三位中国最具创造力的人物。
4. 简述创造性思维的构成要素有哪些。
5. 创造性思维的属性有哪些？
6. 创造性思维的特点是什么？
7. 常见的创造性思维障碍与突破思维障碍的方法有哪些？

创造性思维与创新创业

第五章

创造思维技法应用

📖 课程目标

了解联想和想象；

掌握想象的种类；

理解想象与创新的联系；

掌握思维导图的绘制；

熟悉集体创新思维训练中的奥斯本检核表法、头脑风暴法和"635"法。

📖 重点难点

教学重点：集体创新思维训练。

教学难点：思维导图的绘制。

💡 案例导入

最年轻的美国科学院院士——庄小威

创新是一个民族进步的灵魂，是一个国家兴旺发达的不竭动力。作为新时代的大学生，我们理应培养创新的思维和创新的意识。同时，创新也是一种能力，它不仅仅是一个口号。我们不仅要想创新，还要能创新。创新的过程是一个思维和实际相结合并萌生出新的东西的过程，创新无处不在，无时不有，来源于生活而又高于生活。

庄小威这个名字想必在科学界并不陌生，她至今取得的成就可以说是科学界的骄傲，也是中国人的骄傲。她1972年出生于苏州，1987年考入中国科学技术大学少年班，1991年本科毕业赴美留学，1997年在加州大学伯克利分校拿到物理学博士学位。2001年被聘为哈佛大学助理教授，2006年成为物理学和化学的双聘教授，此前曾获得2003年麦克阿瑟"天才奖"，她是第一位获此殊荣的华人女科学家。2012年成为84位新晋美国科学院院士之一，由此还刷新了最年轻的美国科学院院士的记录。其间，更是获奖无数，此处就不一一列举了。

写到这里，大家一定都会觉得她绝对是个神秘的人物，实则不然。在我看来是创新造就了她今天的学术成就，同时也与她超于常人的努力是分不开的。可能谁都不会想到她今天取得最大成就的领域并不是她从一开始就学习的专业领域。这起源于她博士期间的导师朱棣文，曾经的诺贝尔物理学奖获得者，当导师问她是否对跨学科有兴趣的时候，她的回答是"Why not"。事实上，庄小威完全转入了另一领域的研究。她十九岁在中国科学技术大学拿到本科学位，然后赴美，在加州大学伯克利分校拿到硕士和博士学位，这些学位都归属物理学。1997年之后，她在斯坦福大学师从朱棣文进行博士后研究时，才偶然与化学、生物学科的合作伙伴一起开始做一些跟踪分子行为的实验，但几乎有整整一年时间都只是在摸索试探，什么结果也没做出来。她的物理基础启发她将带荧光的分子标记物附在病毒上，当用激光照射时，标记物发射出特殊的彩色光。用这种方法，借助显微镜，她详细地跟踪了单个病毒的行为，也跟踪了诸如蛋白质和核糖核酸（RNA）片断这样的单个分子行为。她拍摄到单个流感病毒的连续影像，这是世界上首次记录了病毒的各阶段过程。庄小威的研究，是要探明生物体系中单个分子或单个粒子的运动表现。庄小威创造性地将荧光光谱和显微分析技术应用于单个分子，这种崭新的物理手段，使得实时揭示复杂生物过程中的分子个体及其运动步骤成为可能。她在单分子动力学、核酸与蛋白的相互作用、基因表达机制、细胞核病毒的相互作用等领域做出了杰出的贡献。近年来，她发明了突破光学衍射极限的STORM荧光成像技术，使得光学显微镜分辨能力接近纳米尺度。她的这一发明极大地推动了亚细胞微观结构的研究。

她如果没有创新性地将物理学的研究方法和生物学紧密结合在一起，恐怕这些成果至今还是个谜。由此可见，创新的作用确实不容小觑。从庄小威的例子我们可以总结到很多东西，创新不是一纸空文，我个人总结为以下三点：

首先，创新需要实力和扎实的基本功作支撑。庄小威此前的学习过程为她以后一系列的研究铺平了道路，白日做梦式的创新只不过是开玩笑罢了，脑袋空空，拿什么来支撑你创新的勇气和动力。扎实的基本功会让你在科研的道路上如鱼得水。以前听说过一句说得特别好的话，当你发现你的实力不能撑起你的野心的时候，说明你该好好努力学习了。所以，从现在起，用科学的知识武装头脑，有一天它一定会成为你人生中最重要的财富。

其次，创新要有足够的勇气去大胆尝试未知的东西。如果当初庄小威对于未知的生物科学领域说的是"NO"而不是"YES"，那么还会有今天的庄小威吗？此处要打上问号了。跨学科的大胆尝试为我们的创新之路又指明了一条方向。跨学科研究是近年来科学方法讨论的热点之一。近年来，一大批使用跨学科方法或从事跨学科研究与合作的科学家陆续获得诺贝尔奖，再次证明了这一点。就其深刻性而言，跨学科研究本身也体现了当代科学探索的一种新范型。

最后，创新同样离不开艰苦的努力和无数不眠之夜的艰辛探索。我们只看到了庄小威风光无限闪亮照人的一面，却忽视了她无数个夜晚坚守在实验室里的情景。你知道丘成桐博士刚毕业时一天工作十四小时吗？你知道庄小威在哈佛大学读博期间，每天从早上十点工作到晚上十一点吗？你知道钱学森在加州理工大学时，演算流体方程，从早上八点到晚上十点吗？他们所取得的成功并不是偶然，而是他们比我们常人付出了较多的努力和汗水。

创新力量直接推动了科学技术的进步，为人类更好地认知这个世界提供了方法。

（资料来源：跨学科研究，有改动）

第一节 创新思维的基础——联想和想象

一、想象概述

（一）想象的概念

所谓想象，就是从保存在记忆中的表象出发，把这些表象进行加工、改造，使其产生新思想和新办法，从而创造出新形象的思维过程。想象是一种特殊的思维形式，它是人对大脑中已储存的表象进行加工改造，从而形成一种新的形象的心理过程。想象能够突破时间与空间的限制，对人的机体起调节作用，还能起一定的预见未来的作用。

三国时期，刘邦想试探韩信的智谋，他拿出一块五寸的布帛，让韩信在一天内尽可能多地画上士兵，并承诺韩信画多少兵就给他多少兵。次日，韩信上交的布帛上一个士兵也没有，但刘邦看了之后却为之叹服，并将兵权给了韩信。

请问：韩信是怎么画的？

韩信在布帛上画了一座城楼，并且还画了一匹刚露出头的战马，上面还有一面"帅"字旗，虽未画一兵一卒，但却有千军万马之势。韩信正是凭着出色的想象力取得了刘邦的信任，刘邦才把兵权交给了韩信。

（二）想象的种类

再现想象是指根据语言和文字的描述或图样的示意，在人的头脑中形成相应形象的过程。它的特征是再现性，即想象者在头脑中产生的形象是别人早就创造出来的，只是使其再现而已，其具有一定的创造性，但创造性比较低。例如，建筑工人根据建筑蓝图想象出建筑物的形象即是一种再现想象。

创造想象是根据一定的目的，对头脑中已有的表象进行加工创新，独立地创造出崭新形象的过程。其创造出来的形象既新颖又具有开创性。因此，在创新活动中起着不可替代的作用。比如，飞机设计师在头脑中构成一架新型飞机的形象即是一种创造想象。

幻想是创造想象的特殊形式,是一种对未来的想象。它是一种十分重要的思维形式,人们运用幻想,能跨越时空的限制,展望未来事物的新形象。比如,想象自己成为一位科学家和艺术家就是一种幻想。

(三)想象与创新的联系

想象作为形象思维的一种方法,不仅能构想出未曾知觉过的形象,而且还能创造出未曾存在的事物形象,因此是任何创新活动都不可缺乏的基本要素。

1. 想象能帮创新者思考问题

在创新活动开始之前,创新者首先都要设想这些创新活动的条件、步骤、可能发生的问题和预想达到的结果,这些事先的设想是离不开想象的。

例如,伽利略在向亚里士多德的错误观念挑战时,就成功地运用了想象思维。他当时怀疑"学问之神"亚里士多德的不同质量的物体中质量大的下落得快的理论,他指出,如果质量大的物体下落得快,那么,两个质量大小不同的物体捆在一起下落时,由于相互牵制,快慢应该取其中间状态。而按亚里士多德的同一条理论,两个物体捆在一起时的质量,一定比质量大的物体还要大,它们应该比质量大的物体下落得还要快。伽利略的这一想象为之后著名的斜塔实验奠定了基础。

2. 想象是通向创新的桥梁

人们对客观事物的认识往往有一个发展过程,当人们所掌握的资料不够完备时,只有运用想象,提出猜测性的假说,才能进一步探索客观事物的本质。

例如,著名发明家赫萨比有一天看到妻子在阳台上给生了虫的花喷杀虫剂,他想:不用毒剂是否也能杀虫,我们的耳朵中不生虫,是不是里面含有杀虫的物质?于是他就让一个实验室研究了耳屎的成分,结果发现耳屎是由100多种物质组成,其中果然有一种就可以杀死昆虫。于是赫萨比发明了一种对人体完全无毒的杀虫剂。

训练题:

假如我们每只手都长了六根手指,那么扳手、钳子等工具会设计成什么样?十进制是否会被"十二进制"所代替?

二、联想思维

联想思维就是从对一个事物的认识引起、想到关于其他事物的认识，探索它们之间共同的或类似的规律，从而找到解决问题的思维方法。

1. 联想思维方法

自由联想法是一种主动自由的积极联想，是在完全自由的情况下进行联想，该方法属于探索型。

强迫联想法要求拿一本产品目录，随意翻阅，联想翻看到的两种产品能否构成一种新事物。

2. 联想思维法则

（1）相似联想法则

相似联想法则是联想思维的最基本的法则，是指尽量根据事物之间的形状、结构等方面的相似点进行联想，从而受到启发，做出创新。

例如，怎样才能使洗衣机洗的衣服不沾上小棉团之类的杂物？日本一位家庭主妇在用洗衣机洗衣服碰到这种情况时，联想到幼年时捉蜻蜓的情景。她想，小网可以网住蜻蜓，那在洗衣机中放一个小网是不是可以网住小棉团之类的杂物。她经过试验，取得了较为满意的效果，而这位家庭主妇在此过程中运用的就是相似联想。

（2）相关联想法则

相关联想法则是指在思考问题时，尽可能地根据事物之间在时间或空间等方面的彼此接近进行联想。

例如，1982年2月底至3月初，墨西哥爱尔·基琼火山喷发，亿万吨火山灰直冲云霄。美国政府联想到悬浮在空中的火山灰会将一部分从遥远的宇宙射向地球的太阳能反射回去，从而形成大面积低温多雨的天气，造成世界范围的粮食减产。于是，美国政府便主动调整了国内粮食政策。

第二年，世界各国粮食产量果然大幅度下降，美国政府由于及时采取了应急措施，成了唯一的粮食出口国，并由此在国际事务中处于优势地位。

（3）对比联想法则

对比联想法则是指在思考问题时，尽量将在形状、结构等方面存在差异，甚至是完全不同的事物进行联想。

例如，鲍罗奇是一位专营中国食品的美国企业家，他公司的注册商标图案原先是一位"中国胖墩"，肥胖象征着财富和安乐，在第二次世界大战期间销路很好。但随着时间的推移，食品销路越来越差。鲍罗奇联想到"胖"不行，就试试"瘦"，将商标图案改成了"中国瘦条"。随着人们生活水平的提高，减肥运动悄然兴起，"中国瘦条"更能适应减肥新潮流。

在具体的创新活动中，上述三条法则往往是互相结合、交叉使用的。比如，天空和茶的联想，就是这三条法则的结合："天空——土地"运用的是对比联想，"土地——水"运用的是相似联想，而"水——喝"，"喝——茶"运用的则是相关联想。

训练题：

说出汽车与自行车、桌子与椅子、橘子与苹果、马和牛、收音机和电视机等的相似之处，说得越多越好。

第二节 个体创新思维训练之绘制思维导图

思维导图的英文是"The Mind Map"，又叫心智导图，是表达发散性思维的有效图形思维工具，是一种简单、有效和实用的思维工具。

一、思维导图的概念

思维导图运用图文并重的技巧，把各级主题的关系用相互隶属与相关的层级图表现出来，把主题关键词与图像、颜色等建立记忆链接。思维导图充分运用左右脑的机能，利用记忆、阅读、思维的规律，协助人们在科学与艺术、逻辑与想象之间平衡发展，从而开启人类大脑的无限潜能。思维导图因此具有人类思维的强大功能。

思维导图是一种将思维形象化的方法。人类大脑的自然思考方式是放射性思考，每一种进入大脑的资料，不论是感觉、记忆或是想法，包括文字、数字、符码、香气、食物、线条、颜色、意象、节奏、音符等，都能成为一个思考中心，并由此向外发散出成千上万的关节点，每一个关节点与中心主题构成一个连结，而每一个连结又可成为另一个中心主题,再向外发散出成千上万的关节点,呈现出放射性的立体结构。这些关节的连结可以视为人的记忆,就如同大脑中的神经元一样互相连接,成为自己的个人数据库。

思维导图又称脑图、灵感触发图、树状图、树枝图或思维地图,是一种图像式思维工具以及一种利用图像式思考辅助工具。思维导图是使用一个中央关键词或想法引起形象化的构造和分类的想法,它是用一个中央关键词或想法以辐射线形连接所有的代表字词、想法、任务或其他关联项目的图解方式。

二、思维导图的作用

1. 思维导图帮助整理资料

导图可以帮助我们整理电脑上储存的资料,如文件夹或各类文件等。我们可以运用导图软件对文件等进行整理,有助于直观地展示各部分间的相互包含关系。同时导图还可以帮助我们整理具体文章内容,如章节、主题、知识系统等。我们可以利用导图的中心发散层级结构与文章的内容结构的相似性更方便地整理文章,且整理后对文章会有更直观和更深入的理解,其仍只能体现包含关系,不能体现系统性。

2. 思维导图帮助厘清思路

思维导图的分支和层次帮助我们梳理思路,抓住要点、关键和本质;其结构的发散性还能迫使和帮助我们进行发散思考,引发我们的深层次系统思考;同时导图的图像、图标、图形、符号等能够启动我们的右脑,锻炼我们的图像思维能力。

3. 思维导图帮助记忆

思维导图能帮助我们梳理思路进行逻辑记忆,其将所有重点布局在一张图上,且非常直观和有助于记忆;思维导图的图式笔记功能能辅助记忆,如图像,颜色等。

4. 思维导图帮助组织计划

思维导图能帮助我们把问题变成关键词并直观地布局在一张图上,便于我们思考;其方便增减关键词的特点有利于调整组织和计划;导图将重点与细节布局在一张纸上,有助于了解全局和细节。

5. 思维导图帮助锻炼思维

思维导图使用关键词能帮助我们节省写字的时间，将更多的时间投入思考中，加快思考速度；导图的图式工具使内容的关系、中心思想和思考条理更清晰；同时导图还能迫使和帮助我们进行更深入的思考，同时让我们更集中注意力。

三、思维导图的绘制技巧

以下为思维导图的绘制方法及技巧：

1）将纸张横放，从一张白纸的中心位置开始绘制，用一幅图像或图画表达你的中心思想，周围留出空白。

2）从纸张右上方一点钟开始，依照顺时针方向，用平滑的曲线将中心图像和主要分支连接起来，然后把主要分支和二级分支连接起来，再把三级分支和二级分支连接起来，依此类推。

3）在主要分支上写上一个概括凝练的关键词，通常会选择名词或者动词。单个的词汇使思维导图更具有力量和灵活性，每一个词汇和图形都像一个母体繁殖出与它自己相关的、互相联系的一系列"子代"。

4）在绘制过程中使用颜色，一个主分支一种颜色。

5）使用与主题贴切的图像。需要注意的是，并不是每一个关键词都需要配上图像，所配的关键图一定是重中之重，还必须与所要表达的主题相关。如果插入的图片与内容无关，一则喧宾夺主，二则会造成记忆和理解的偏差混乱。图 5-1 和图 5-2 分别为思维导图和思维导图样图。

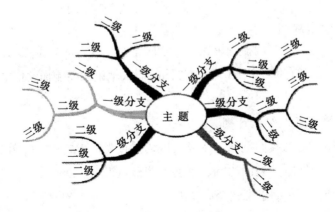

图 5-1　思维导图

第二部分 创造性思维的训练

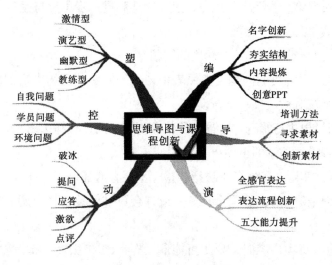

图 5-2 思维导图样图

训练题：

请就自己创业主题词绘制一份思维导图。

第三节　个体创新思维训练之奥斯本检核表法

一、奥斯本检核表法的概念

奥斯本检核表法是指根据需要研究的对象的特点列出有关问题，形成检核表，然后一个一个地进行核对讨论，从而发掘出解决问题的大量设想。它引导人们根据检核项目的一条条思路来求解问题，它可以进行比较周密的思考。

二、奥斯本检核表法的核心和实施步骤

1. 奥斯本检核表法的核心

奥斯本检核表法的核心是改进，通过变化来改进。其基本做法如下：首先，选定一个要改进的产品或方案；其次，面对一个需要改进的产品或方案，或者面对一个问题，从以下九组问题角度提出一系列的问题，并由此产生大量的思

95

路；最后，根据第二步提出的思路，进行筛选和进一步思考与完善。

2. 折叠实施步骤

1）根据创新对象明确需要解决的问题。

2）根据需要解决的问题，参照表中列出的问题，运用丰富的想象力，强制性地一个个核对讨论，写出新设想。

3）对新设想进行筛选，将最有价值和创新性的设想筛选出来。

折叠过程需要注意的事项：

1）要联系实际一条一条地进行核检，不要有遗漏。

2）要多核检几遍，效果会更好，或许会更准确地选择出所需创新、发明的方面。

3）在检核每项内容时，要尽可能地发挥自己的想象力和联想力，产生更多的创造性设想。进行检索思考时，可以将每大类问题作为一种单独的创新方法来运用。

4）核检方式可根据需要，一人核检也可以，三至八人共同核检也可以。集体核检可以互相激励，产生头脑风暴，更利于创新。

3. 奥斯本核检表法的普遍适用问题

奥斯本检核表法属于横向思维，以直观、直接的方式激发思维活动，操作十分方便，效果也相当好。

奥斯本所述以下九组问题对于任何领域创造性地解决问题都是适用的，它们是他在研究和总结大量近现代科学发现、发明和创造事例的基础上归纳出来的。

1）现有的东西（如发明、材料、方法等）有无其他用途？保持原状不变能否扩大用途？稍加改变，有无别的用途？

例如，橡胶有什么用处？有家公司提出了成千上万种设想，如用它制成床毯、浴盆、人行道边饰、衣夹、鸟笼、门扶手、棺材、墓碑等等。

2）能否从别处得到启发？能否借用别处的经验或发明？外界有无相似的想法，能否借鉴？过去有无类似的东西，有什么东西可供模仿？谁的东西可供模仿？现有的发明能否引入其他的创造性设想之中？

例如，电灯在开始时只用来照明，后来，改进了光线的波长，发明了紫外线灯、红外线加热灯、灭菌灯等等。

3）现有的东西是否可以做某些改变？改变一下会怎么样？可否改变一下形状、颜色、音响、味道？是否可以改变意义、型号、模具、运动形式？……改变之后，效果又将如何？

例如，汽车，有时改变一下车身的颜色，就会增加汽车的美感，从而增加销售量。又如面包，给它裹上一层芳香的包装，就能提高嗅觉诱力。

4）放大、扩大。现有的东西能否扩大使用范围？能不能增加一些东西？能否添加部件，拉长时间，增加长度，提高强度，延长使用寿命，提高价值，加快转速？……

例如，橡胶工厂大量使用的黏合剂通常装在一加仑的马口铁桶中出售，使用后便扔掉。有位工人建议黏合剂装在五十加仑的容器内，容器可反复使用，这样可省大量的马口铁。又如，给牙膏中加入某种配料，使其成了具有某种附加功能的牙膏。

5）缩小、省略。缩小一些怎么样？现在的东西能否缩小体积，减轻重量，降低高度，压缩、变薄？能否省略，能否进一步细分？

例如，袖珍式收音机、微型计算机、折叠伞等就是缩小的产物。没有内胎的轮胎，尽可能删去细节的漫画，就是省略的结果。

6）能否代用。可否由别的东西代替，由别人代替？用别的材料、零件代替，用别的方法、工艺代替，用别的能源代替？可否选取其他地点？

例如，在汽体中用液压传动来替代金属齿轮，又如，用充氩的办法来代替电灯泡中的真空，使钨丝灯泡提高亮度。

7）从调换的角度思考问题。能否更换一下先后顺序？可否调换元件、部件？是否可用其他型号，可否改成另一种安排方式？原因与结果能否对换位置？能否变换一下日程？……更换一下，会怎么样？

例如，飞机在诞生初期，螺旋桨安排在头部，后来，将螺旋桨装到了顶部，成了直升机，喷气式飞机则把它安放在尾部，说明通过重新安排可以产生种种创造性设想。

8）从相反方向思考问题，通过对比也能成为萌发想象的宝贵源泉，可以启发人的思路。反过来会怎么样？上下是否可以反过来？左右、前后是否可以对换位置？里外是否可以倒换？正反是否可以倒换？可否用否定代替肯定？……

例如，第一次世界大战期间，有人就曾运用这种"颠倒"的设想建造舰船，建造速度也有了显著的加快。

9）从综合的角度分析问题。组合起来怎么样？能否装配成一个系统？能否把目的进行组合？能否将各种想法进行综合？能否把各种部件进行组合？等等。

例如，把铅笔和橡皮组合在一起成为带橡皮的铅笔，把几种部件组合在一起变成组合机床，把几种金属组合在一起变成种种性能不同的合金，把几个企业组合在一起构成横向联合等。

应用奥斯本检核表是一种强制性思考过程，有利于突破不愿提问的心理障碍。很多时候，善于提问本身就是一种创造。

训练题：

以某公司汽车为例训练内容。

1）增加产品，能否生产更多的产品？

2）增加性能，能否使产品更加经久耐用？

3）降低成本，能否除去不必要的部分？能否换用更便宜的材料？能否使零件更加标准化？能否减少手工操作而搞自动化？能否提高生产效率？

4）提高经销的魅力，能否把包装设计得更引人注意？能否按用户、顾客要求卖得更便宜？

第四节　集体创新思维训练之头脑风暴法

头脑风暴法由美国 BBDO 广告公司的奥斯本所首创，它又叫畅谈法、集思法等，其主要是采取专家小组会议的形式，保证小组人员在融洽和不受任何限制的氛围中进行主题讨论，激发灵感，打破常规，畅所欲言，充分发表自己看法的一种创造性思维方法。

一、头脑风暴法的原则

1. 异想天开与延迟评判

参会成员尽可能地解放思想，提倡自由发言，杜绝批评与评论，从心理上调动每个参会成员的积极性,禁止出现"扼杀性语句"和"自我扼杀性语句",充分保证会议氛围轻松,集中参会人员的所有精力开拓思路。

2. 追求量变引起质变

激励参会人员尽可能多地提出设想,鼓励利用和改善他人的设想,保证人人平等,要求记录员完整地记录所有提出的设想,以此保证从大量的设想中寻求到有效的设想。

3. 重集体,轻个人,倡平等

会议中提倡人人平等,禁止专家论、学者论等。同时,不强调个人成绩,看重小组集体利益,不能以多数人的观点阻挡个人新观点的提出以及激发个人提出更多更有效的观点。

二、头脑风暴法的具体操作

头脑风暴法的操作过程分为准备阶段、头脑风暴阶段和评价选择阶段。

图 5-3 头脑风暴法的具体操作流程图

(一)准备阶段的具体操作步骤

1)选定会议主题。

2)选定参会成员,一般不超过 10 名,并挑选 1 名会议记录员。

3)确定会议的时间及地址。

4)准备记录笔等会议记录工具。

5)布置会场。

6)所选会议主持人要掌握头脑风暴法所有的细节问题,并彻底地了解其原则和实施要点。

(二)头脑风暴阶段的具体操作步骤

1)会议前,主持人向参与者简要介绍该方法的基本大意和应注意的问题

（原则等）。

2）保证激励参会人员畅所欲言。

3）记录员如实完整地记录参会人员的设想。

4）结束会议。

（三）评价选择阶段的具体操作步骤

1）将会议记录分类整理并展示给参会成员。

2）从应用效果、可行性、积极回报率和迫切性等多方面评价各个设想。

3）从会议中激发的设想中选出最恰当的设想，并在后续中完善此设想，使其能应用于实际工作中。

例如，法国有一家名叫盖莫里的中小型企业，公司300人，公司经销部门负责人受一场发挥员工创造力的会议的启发，成立了一个创造小组（10人），意在提高本公司生产的电器的市场竞争力。在取得公司上层领导的同意后，他将创造小组的10个人集中在农村的小旅馆（3天）内，断绝他们与外界的一切联系。

第一天进行基础训练，意在使各个成员间相互认识并促进他们融洽相处，保证他们均进入此次角色。第二天与第三天则是对他们进行创新技能训练及应用头脑风暴法商讨产品的新功能和新名字。

而后，公司的新产品因其独特新颖的功能和朗朗上口的新名字而被广大消费者所喜爱，从而击败了其他竞争对手，以迅雷不及掩耳之势抢占了大量市场。

训练题：

1）如何完整地剥出核桃仁？

2）如何解决教室省电问题？

第五节　集体创新思维训练之"635"法

"635"法又称默写式头脑风暴法、默写式智力激励法，是德国人鲁尔已赫根据德意志民族习惯与沉思的性格提出来的。方法是6个人围坐在一圈，每人每 5 分钟内写出 3 个设想，然后从左到右依次递给相邻的人，接到卡片后，在第二个 5 分钟内再写出 3 个设想，然后再递给相邻的人，如此重复 6 次，全程 30 分钟，可以产生 108 个设想。它与头脑风暴法原则上相同，其不同点是把设想记在卡片上，通过卡片的传递来进行讨论，而不是通过口述来完成。

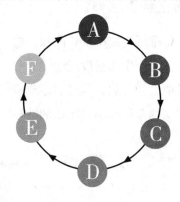

图 5-4 "635" 法示意图

一、"635" 法的卡片切割

1）将卡片切割成 6 大块。

2）将每个大块切割成 3 小块。

3）每个阶段（5 分钟）要填满一个大块，即 3 小块内容。

二、"635" 法的具体操作步骤

1）参会的 6 位人员依次围圈坐好，每个人面前放一张画有 6 个大圈 18 个小圈（每个大格内有 3 个小格）的纸。

2）主持人给出会议主题，要求参会成员重新表述主题。

3）重新表述主题之后，开始计时，让在第一个 5 分钟内，每位成员在第一个大圈的 3 个小格内写出 3 个设想。

4）随后，每个人按顺时针（逆时针）方向把写好的纸依次递给下一位参与者，在第二个 5 分钟内，每个人再在下一个大格的 3 个小格内写出 3 个设想，新提出的 3 个设想最好是已有的设想激发出的，但又不同于之上所列的设想。

5）按上述方法再重复 4 次，共 6 次，共用 30 分钟，每张纸是 18 个设想，6 张纸共 108 个设想。

6）整理分类归纳这108个设想，找出可行的先进的解题方案。

"635"法的优点是能弥补参会者因地位、性格的差别而造成的压抑；缺点因是只是自己看和自己想，激励不够充分。

三、"635"法的注意事项

1）彼此间不能交流，思维活动应尽量自由和奔放。

2）由6个人同时开始，可产生大量设想。

3）一定程度上可参考他人的设想，也可加以改进或利用。

4）不能因参加者地位上的差异和懦弱胆怯的性格而影响意见的提出。

思 考 题

1. 有6个小朋友要平均分5块蛋糕，但不能切碎，而且任何一块蛋糕切成6块以上，你知道怎么分切这5块蛋糕吗？

2. 一个工程导致某小区房屋地基下陷，某日晚上下大雨，楼房开始倾斜，随时有倒塌的危险。你若作为居委会的值班人员，会如何处理？

3. 假如你所在的乡镇进行拆迁，一些群众拒绝搬迁，领导派你去做解释工作，你会如何做？

第二部分 创造性思维的训练

第六章

创新思维能力训练

📖 **课程目标**

掌握创新思维的基本能力；
用创新思维能力解决创新创业中的实际问题。

📖 **重点难点**

重点：创新思维能力的具体表现。
难点：创新思维能力的实际应用。

 **案例导入**

习近平主席对创新思维能力的解读

  当今中国，无论是全面深化改革、适应经济新常态，还是贯彻新发展理念，都需要用创新思维去应对、解决前进路上的新情况与新问题。习近平主席的创新思维，充满着强烈的问题意识、贯穿着鲜明的问题导向。他多次强调："问题是创新的起点，也是创新的动力源。"他认为，"要有强烈的问题意识，以重大问题为导向，抓住关键问题进一步研究思考，着力推动解决我国发展面临的一系列突出矛盾和问题"。在他看来，突破自身发展瓶颈、解决深层次矛盾和问题的根本出路就在于创新。

  在创新问题上，领导干部应当把握创新的形式、途径和方法。"明者因时而变，知者随事而制。"面对新情况、新问题，不是凭经验翻老黄历，不是循旧历找教科书，而是努力想新办法、找新出路、创造新经验、开创新局面，并且掌握创新的内在规律和诀窍，从而不断提升创新思维能力。

党的十九大报告指出，以识才的慧眼、爱才的诚意、用才的胆识、容才的雅量、聚才的良方，把党内和党外、国内和国外各方面优秀人才集聚到党和人民的伟大奋斗中来。如何培养、选拔创新型人才，也成为领导干部提升创新思维能力的一项重要命题。

习近平的这些重要论述，深刻阐明了坚持问题导向，发现问题、研究问题、解决问题都离不开创新思维。在我们前所未有地接近中华民族伟大复兴目标、前所未有地走近世界舞台中心的时候，更要求我们将问题作为推动创新的契机，将创新作为解决问题的手段，推动各项事业取得创造性成果。

"生活从不眷顾因循守旧、满足现状者，从不等待不思进取、坐享其成者，而是将更多机遇留给善于和勇于创新的人们。"让创新思维成为一种习惯和本能，中华民族伟大复兴的中国梦必将早日实现。

（资料来源：东方网新闻，有改动）

创新思维是指因时制宜、知难而进、开拓创新的科学思维。创新思维能力就是打破思维定势，改变思维惯性，推陈出新、开拓进取的思维过程，由单向思维转变为多向思维，由封闭思维转变为开放思维，由静态思维转变为动态思维的能力。简单地说，创新思维能力就是通过分析、综合、概括、抽象、比较、具体化和系统化等一系列过程，对感性材料进行加工并转化为理性认识及解决问题的能力。

一般来说，创新思维能力既包括获取新知识的观察和学习能力，也包括质疑辩驳和沟通交流的能力；既包括洞察机遇整合资源的综合能力，也包括不断突破自我螺旋提升的能力。

第一节　学习技能

学习是提高创新思维能力的基础，亦是创新思维常用常新的根本所在。时刻保持"知识技能危机感"，树立全面学习、终身学习的理念，一手抓理论学习，一手抓实践学习，理实一体化，才能不断丰富知识储备，提高专业技能，夯实专业基础，激发创新灵感，挖掘创新潜能，从而为创新思维能力的提升打下坚实基础。

一、学习技能的内涵

创业后期就是对最普遍的问题产生了知识恐慌。原有的知识底蕴和劳动技能已经不足以支持创业者们应对创业中出现的大量的新情况和新问题。因此，创业者应该注重知识的更新和再学习能力的培养。在知识经济时代，只有比竞争对手更善于学习，才能使创业者具有无可比拟的优势。

知识的不断储备和更新正是对创业者知识库的不断充实，只有创业者们紧盯行业发展变化，掌握最新的专业知识和行业资讯，才能保证创业者在面对创业过程中出现的各种问题时做到心里有数。

二、学习技能的提升路径

学习技能主要包括新知识的充实和再学习的能力。一般情况下，应该从以下几个方面努力提高创业者的学习技能。

1.要时刻保持"活到老，学到老"的理念

在知识经济时代，市场信息的扩散速度远超乎人们的想象，全球化时代也使得"蝴蝶效应"被无限放大，绝大多数行业都处于一个变幻莫测的大环境中，知识更新换代的速度不断加速。在这个时代，对于创业者来说，则要考验他们是否具有坚持不懈的恒心和毅力。因此，要想在自己的创业领域有所成就，必须做到"知己知彼"，也就是要了解自己、了解竞争对手，只有时刻保持"活到老，学到老"的理念，终身学习，才能有更大的可能实现"百战不殆"。

2. 纵向学习和横向学习双管齐下

信息化时代的学习并非简单的闭门造车，学习必须要"走出去"。一是参加各种培训，增长见识，认识自身的不足，在校大学生可以参加政府部门组织的各项创新创业培训，也可以参加学校的各类讲座和培训，要以"标杆管理"的思想约束自我，以行业佼佼者为榜样，自觉向优秀同行学习；二是要静下心来，在努力钻研自己专业知识的同时，还应积极了解经济学、市场学、管理学、法律、财务等创业必备的一些基础知识，努力成为一名"T"型人才，在精通专业知识的基础上，能够掌握一定程度的其他学科知识，为创业的顺利进行打下坚实基础。

3. 学习不能来者不拒，要培养筛选优质资源的能力

当今社会正处于一个知识大爆炸的时代，高速发达的信息网络让信息的传播速度加快，海量信息也给创业者的学习带来不小的挑战。作为年轻的创业者们，需要一双"火眼金睛"去辨别知识的真假和优劣。学习不能盲目，更不能盲从。一般来说，以下三个渠道的信息来源可信度较高。首先要关注政府权威部门发布的专业信息，其次是行业内部权威平台或者权威专家的观点等，最后是行业顶尖公司发布的各种资讯信息。

案例：

湖畔大学——青年创业者的回炉再造

湖畔大学成立于2015年，由柳传志、马云、冯仑、郭广昌、史玉柱、沈国军、钱颖一、蔡洪滨、邵晓锋九位企业家和著名学者共同发起创办。湖畔大学坚持公益性和非营利性，主张坚守底线、完善社会。2015年3月27日，举行了"湖畔大学第一届开学典礼"，马云出任湖畔大学第一任校长，曾鸣教授出任湖畔大学教育长。从此以后，每年的3月27日就成了湖畔大学的开学季。

湖畔大学的目标学员主要是创业三年以上的创业者，旨在培养其"企业家精神"，就整体而言，处于创业期的企业学员占据了大多数。梳理前五届学员企业可以发现，创立时间更久、规模更大、经营更成熟的企业越来越多，这些学员来自汽车之家、快的打车、俏江南投资、科大讯飞、土巴兔、58同城等企业。各行各业取得不菲成绩的企业家也纷纷成为湖畔大学的学员，如科大讯飞联合创始人胡郁、滴滴出行总裁柳青、快手创始人宿华、饿了么创始人张旭豪、虎扑体育董事长程杭、罗辑思维的罗振宇、重庆白酒企业江小白的陶石泉、小红书创始人瞿芳等。

第二节 观察技能

观察能力既是创业思维能力的重要组成,也考验着一名创业者是否具备敏锐眼光和灵敏反应的基本素质。国内外很多研究证实,优秀的创业者和企业家大多是细致的观察家。在自助财务管理软件市场击败微软及许多其他潜在竞争者的 Intuit 公司,其创始人斯库克就坦言:公司的核心产品 Quicken,灵感就来自于日常生活,斯库克在仔细观察了他妻子处理家庭财务时遇到的种种不便之处,便产生了创造一种财务软件能够有效解决快速理财目标的构想。经过不断的尝试,终于推出了有丰富网上功能、简单快捷的家庭和个人财务管理软件 Quicken,该软件一经面世就广受欢迎。

一、观察技能的内涵

国内外有大量的创业实例,灵感都来自现实生活中的细致观察。所谓观察技能,就是要透过现象看本质,提前做出决策,赢得创业先机。我们的日常生活中蕴含着无数的需求,这些需求都有可能变为创业者的机会,而关键就在于谁先观察到这些需求。

二、观察技能的提升路径

1. 不从众,另辟蹊径

从众心理是一种社会群体心理,从众行为是群体成员跟随群体的倾向行为。从众心态是不自信的具体表现,也是规范压力带给社会成员的心理压力。从创业者的角度来看,只有保持独立的心态才有可能产生独特的想法和见解。因此,我们要保持另辟蹊径的态度,不要盲目追随"热门"行业,要善于发现"冷门"中的大热门。凡是眼光独到的企业家对市场行情的"冷"和"热"往往都有独到的见解,因而出乎意料地"突然成功"。就像大学生在选择专业时,往往由于太热衷于热门专业,反而造成竞争压力过大、从业人员过剩等问题。

案例：

不追随潮流，亚尔默成就一代食品大王

19世纪末，美国加利福尼亚州发现了黄金，出现了淘金热。有一位17岁的少年来到此处，也想加入淘金者的队伍，可当他看到金子没有那么好淘，淘金的人很野蛮，他很害怕。这时，他看到淘金人在炎热的天气下干活口渴难熬，就挖了一条沟，将远处的河水引来，经过3次过滤变成清水，然后卖给淘金人喝。金子不一定能淘到，且有一定危险，卖水却十分保险。他很快就赚到了6000美元，回到家乡办起了罐头厂。他就是后来被称为美国食品大王的亚尔默。

2. 用心观察，找到市场需求的痛点

全世界公认的最具观察力的国家是以色列，以色列面对一半土地都是沙漠的现状，通过长期细致的观察，创造性地发明了"农业滴灌"技术，成为"让沙漠开花"的过渡。以色列的农业也成为一张亮丽的国家名片，"农业滴灌"技术也造福了全世界很多国家的农业生产。观察力的提升，需要全身心的投入，只要真正面对这一行业，设身处地地感受消费者的实际需求，才会找到市场的痛点和创业的切入点。

案例：

"牛仔大王"李维斯的观察能力

"牛仔大王"李维斯的西部发迹史中曾有这样一段传奇：当年他像许多年轻人一样，带着梦想前往西部追赶淘金热潮。

有一天，他们发现有一条大河挡住了他们西去的路。等了几天后，聚集的人越来越多，但都无法过河。随后，陆续有人向上游、下游绕道而行，也有人打道回府。

而这时，李维斯却从中发现了商机。他想，既然大家现在的难题就是无法过河，如果我来做摆渡的生意，不是非常合适吗？于是，他收取很少的钱把大家摆渡到对岸，就这样解决了大家的问题，大家都很乐意花钱乘船渡河。

通过摆渡挣得第一桶金后，他继续前往西部淘金。

西部天气干旱，大家常常一直在寻找水源。而李维斯在淘金时常常因为与人争地盘被打得鼻青脸肿。

当他再一次被打之后，他想找水喝，突然一个念头闪过：这里黄金遍地，但是却很缺水，如果卖水肯定能赚钱！不久之后，他的卖水生意做得红红火火。

随着更多的人加入卖水的行列，李维斯放弃了这条路，开始继续淘金。

在淘金过程中，李维斯会细心观察那些来淘金的人。在长期的观察中，他发现大家的衣服极容易磨破。与此同时，他发现在当地有很多废弃的帐篷。

突然之间，他有了一个绝妙的好主意：如果能把这些帐篷做成衣服，是不是会很结实呢？就这样，他把那些废弃的帐篷收集起来，清洗干净，缝成了世界上第一条牛仔裤。最终，他成为举世闻名的"牛仔大王"。

李维斯能想出这么多好的创意点子，不得不让人敬佩。

第三节 问题技能

问题技能考验的是创业者质疑辩驳的能力，俗话说"没有最好，只有更好"。只要保持永不满足的态度，才能提高问题技能。创业就是一个"发现问题——解决问题——再发现问题——再解决问题"的螺旋上升过程，这个过程是永远没有终点的。市场瞬息万变，消费者的需求个性化、小众化趋势明显加快，对于创业者来说，就是要不断迎合市场上出现的新变化和新需求，紧跟时代潮流和市场变化，不断发现问题并调整产品和服务，努力跟上时代步伐。"问题"并不仅仅指的是产品或服务本身存在的质量缺陷等方面，更多地体现在与市场需求的不一致性上。只有那些努力迎合消费者需求的产品才是好产品。

一、问题技能的内涵

问题技能贯穿于创业的整个过程。在创业筹备期，创业者要学会"自我质疑"，问自己"是否做好了创业的准备？""是否充分了解了准备进入的行业的现状？"等问题。在创业起步阶段，要学会养成"自我提问"和"团队讨论"的习惯。自我提问是为了时刻反思自己，提醒自己永不满足，时刻保持一颗求知心，而团队讨论则是考验整个创业团队的问题技能。通过大脑风暴等形式，分析创业过程中的问题。

二、问题技能的提升路径

1. 自我发问并不断完善自我

创业是一个充满艰辛、挑战和收获的过程,很多创业者在创业过程中都会感受到来自自我或者外部的压力,这些压力往往特别容易成为创业者的负激励,这些负激励有可能成为创业者消极抵抗的缘由。因此,创业者必须时刻保持清醒,通过不断发现问题和解决问题进行自我反省,并不断完善自我。创业者要始终坚信"创业就是不断发现问题并解决问题的过程"。当一个又一个的问题得到解决时,带给创业者的是越来越多的收获和越来越高的期待,同时,也能够极大地增强创业者的信心,给予他们继续创业的动力。所以,创业者必须正确看待问题,把每一个问题视为创新发展的机遇点。

2. 提出问题并有效解决问题,不断提高分析问题和解决问题的能力

提出问题是为了解决问题,以更好地推动创业项目的发展。因此,问题不是关键,重要的是问题能否得到圆满解决,问题的解决是否给创业项目增加了新的动力。解决问题的能力考验的是创业者的心理承受能力、领导力和决策能力等综合能力。只有当创业者真正以团队领导人的角色面对问题时,才有可能全身心地投入问题并千方百计地解决问题。创业者在不断解决问题的过程中磨炼创业思维,企业在问题中创新、在创新中成长,每攻破一个难题,企业就向前迈进一小步。

案例:

创新迭代迎合市场——洋河股份践工匠精神

"治玉石者,既琢之而复磨之,治之已精,而益求其精也"。作为老字号企业,洋河股份一心做酒,专注工匠精神。在复杂多变的宏观环境和愈加激烈的竞争形势下,洋河股份依旧位列行业三甲,这与其不忘初心,专注工匠精神,打造产品创新迭代"城墙"密不可分。

工匠心引领洋河发展之舵

洋河股份董事长王耀表示"专注是工匠精神的一个表现","提倡工匠精神还有另外一层重要内涵,从企业做起,从培育和传承做起,让工匠精神每个层面都有温度。匠心能筑梦,我们也要为匠人筑梦"。洋河股份传承不守旧,创新不离根,成就了洋河的绵柔风格。洋河股份从战略上明确了专注于做酒,

要将企业做成全世界最懂酒、最会酿酒、最会卖酒的企业。

洋河股份技术能力令人赞叹

在技术能力方面，洋河股份拥有最顶尖的品酒师团队。近年来，洋河股份先后建立中国轻工业工程技术研究中心、中国工程院院士工作站、国家级博士后工作站、中国白酒健康研究院等9大研发平台，并且洋河股份拥有31位国酒大师，2名国家评委专家组核心成员，69名省级品酒委员，1861名技术类人员，连续3年蝉联全国专业品酒师大赛冠军。

强大的"城墙"及"护城河"

在吴晓波看来，核心技术开发，产品创新迭代就像"城墙"，消费者关系的资本梯级护卫就像"护城河"。洋河股份的"城墙"就是"专注酿酒"。洋河股份拥有核心的技术开发并实现产品创新迭代离不开其行业第一的酿酒规模和最顶尖的品酒师团队。吴晓波表示，"洋河在白酒行业开创绵柔领域并做到第一，形成了一个强大的护城河。"

洋河股份绵柔型白酒飘香

洋河股份在工艺上首创中国绵柔型白酒新风格，绵柔"三个三工艺"、纯手工酿造等技术工艺在业内首屈一指。洋河股份从"蓝色经典"到"中国梦"，从香型到味道，改变了消费者对于白酒行业的品类认知。洋河股份在品牌上不仅拥有"洋河""双沟"两个老字号，而且旗下还有众多的"超级单品"，"梦之蓝"等已成为飘香世界的一张张中国名片。

第四节　沟通技能

沟通技能是支撑创业团队稳定运行的核心技能。通用电气公司前总裁杰克·韦尔奇强调：管理就是沟通、沟通、再沟通。杜邦公司前执行总裁夏皮罗认为，"沟通是管理的关键，如果把最高主管的责任列一张清单，没有一项对企业的作用比得上沟通"。沃尔玛创始人萨姆沃尔顿更是提出："沟通是管理的浓缩。"信息化时代，尽管沟通的方式发生了很大的变化，但是没有人否认沟通的重要性和必要性，沟通的关键在于表达和倾听。

一、沟通技能的内涵

沟通是创业过程中实现灵感碰撞的桥梁，缺乏有效的沟通往往导致信息机制失灵，产生牛鞭效应，进一步可能会影响到公司的正常运营和创业团队的合作效率。沟通技能主要考验的是表达和倾听的能力，即能否简洁、明快、准确地表达自己的观点和看法；能否让对方理解自己的所述内容。反过来也是如此，在沟通过程中能否营造一种轻松愉悦的沟通环境，使用的肢体语言是否恰当，沟通是否促成了意见的统一、问题的解决、项目的合作和公司的发展等，这些都是沟通技能的具体体现。

二、沟通技能的提升路径

1. 努力提升口头表达能力

一是表达的内容要少而精。说话不在多而在精，不要占用对方过多的时间表达一些毫无意义的内容，明确目标，在特定目标下开展沟通，能够更好地接收信息。二是表达的方式要多元化。表达方式主要有语言、声音和肢体，依据心理学家的统计，这三者的比例为文字占7%，声音占38%，行为姿态占55%。同样的文字，在不同的声音和肢体语言中，呈现的效果是完全不一样的。因此，在不同的场合，面对不同的沟通对象时，要调节自己的语速、姿态等，以实现更好的沟通效果。

2. 做一名认真的倾听者

沟通是一个双向过程，在对方表达时，要学会做一名认真的倾听者。一名优秀的倾听者要做到用同理心积极主动地倾听，他们善于在讲话者的信息中寻找感兴趣或者有价值的部分，倾听过程中感同身受对方的情感，能够适时地总结接收到的信息，也能够在恰当的时间提出反馈，优秀的倾听者能够做到倾入感情地倾听，让对方如沐春风展开表达，从而推动沟通的深入开展。在倾听过程中，要克服注意力分散、一言不发、随意打断对方等不良习惯，在商务场合中，还要克服主观臆断等障碍，客观公正地倾听对方的表达。

3. 不同的沟通对象采取不同的沟通技巧

沟通技巧并非一成不变，而是由不同的沟通对象决定的。如和自己的团队成员沟通时，可以采取较随意的形式；和顾客沟通时，需要投入饱满的热情，通过细致耐心的沟通，为顾客提供满意的回复，维持公司的客户忠诚度，提高顾客粘性；和自己的合作伙伴沟通时，则需要三思而后行，在发表观点之前，一定要在脑海中形成有理有据的论点，将自己的观点以条理性、逻辑性、客观性的特点加以表达，提高沟通效率。

案例：

沟通的魅力——洛克菲勒的女婿

在美国一个农村，住着一个老头，他有三个儿子。大儿子、二儿子都在城里工作，小儿子和他在一起，父子相依为命。

突然有一天，一个人找到老头，对他说："尊敬的老人家，我想把你的小儿子带到城里去工作。"

老头气愤地说："不行，绝对不行，你滚出去吧！"

这个人说："如果我在城里给你的儿子找个对象，可以吗？"

老头摇摇头："不行，快滚出去吧！"

这个人又说："如果我给你儿子找的对象，也就是你未来的儿媳妇是洛克菲勒的女儿呢？"

老头想了又想，终于被儿子当上洛克菲勒的女婿这件事打动了。

过了几天，这个人找到了美国首富石油大王洛克菲勒，对他说："尊敬的洛克菲勒先生，我想给你的女儿找个对象？"

洛克菲勒说："快滚出去吧！"

这个人又说："如果我给你女儿找的对象，也就是你未来的女婿是世界银行的副总裁，可以吗？"

洛克菲勒还是同意了。

又过了几天，这个人找到了世界银行总裁，对他说："尊敬的总裁先生，你应该马上任命一个副总裁！"

总裁先生摇摇头说："不可能，这里这么多副总裁，我为什么还要任命一个副总裁呢，而且还必须马上？"

这个人说："如果你任命的这个副总裁是洛克菲勒的女婿，可以吗？"

总裁先生当然同意了。

于是一个原来在乡下一文不名、与洛克菲勒无任何关系的穷小子顺利娶到美国石油大王洛克菲勒的宝贝女儿。当然，未来之路还需他个人的努力与经营。

第五节 借力技能

借力在中华民族传统文化中可寻到其踪迹。《韩非子·五蠹》："故群臣之言外事者,非有分于从衡之党,则有仇雠之忠,而借力于国也。"《史记·伍子胥列传》："不如奔他国,借力以雪父之耻。"《水浒传》第七四回:"〔燕青〕把任原直托将起来,头重脚轻,借力便旋,五旋旋到献台边,叫一声:'下去!'"可以看出,无论是两国交战还是文学作品,都体现出古人"借力"的大智慧。自古以来,诸葛亮被公认为是最会用借力的人物,草船借箭更是其借力的典型代表。草船借箭中,诸葛亮撬动曹操的优势资源为其所用。

一、借力技能的内涵

借力不仅仅是一种能力,更是一种智慧。借力技能考验的是利用资源和资源整合的能力。创业者要有效地利用人脉资源和其他资源,借助他人的优势助力自己创业。向亲朋好友寻求建议和帮助是"借力",和同事同人探讨问题、商讨方案也是"借力",向竞争对手学习经验吸取教训也是"借力",借力只有突破"小我"界限,才能拥有更广阔的天地。在当前全球经济一体化进程中,世界各国谁也离不开谁,不同国家和地区之间发展基于互惠互利的双边贸易,正是相互借力从而实现良性互动合作共赢的生动体现。

二、借力技能的提升路径

1. 牢固树立借力思维

互联网时代,每个年轻的创业者都要面对海量的信息和资讯,仅凭一己之力很难快速筛选出优势资源并找准市场痛点,即使已经启动了创业项目,若没有借力思维的加持,也很难打拼出一片天地。近两年火爆全网的"淘宝第一主播"薇娅,在2018年"双十一"活动中,2小时内引导销售额达2.67亿元,创造了行业销售神话。薇娅从起初的娱乐圈转行时,选择的是服装行业,正是因为她出身"服装世家",她的父母及亲戚,有不少人都活跃在线下服装零售领域,他们的这些资源帮助薇娅更加快速地融入服装行业,也为她后来转战淘宝主播打下了坚实基础。

2. 多元化借力提升借力技能

借力不仅仅指的是借助别人的优势资源,更多的是借别人的生产技术、管理经验、品牌优势等。如大学生选择一个"鸡血藤手势"的创业项目,首先要去了解这一行业的基本情况,然后向行业内部的优秀店铺或者企业学习,学习他们在运营管理、客户推广、市场维护等方面的成功经验。众所周知的"浏阳河""京酒"等白酒品牌,都属于五粮液集团,它们正是借助了五粮液的品牌优势保证了良好的市场销量。

3. 坚持共赢理念

市场经济的基础是竞争机制,借力一定要坚持共赢理念,不能只顾己方利益。其实我们日常生活中所见的捆绑营销也是借力的一种体现。例如,购物超市和移动电信公司联合推出的购买达到一定金额即送话费、充话费送购物卡等活动,还有社交电商、小程序、社团营销等手段、平台和渠道成为新零售的借力对象双方利用人工智能、大数据等技术,相互借力,抓住消费升级的顾客需求,实现借力共赢。

案例:

相互借势整合资源——美国历史上第一位华裔内阁部长赵小兰

赵小兰是美国历史上第一位华裔内阁部长,而且是第二次世界大战后唯一连任两届任满8年的劳工部部长。父亲赵锡成是美国福茂集团董事长。赵锡成一家是白宫最亲密的华人家庭,经常受邀参加美国总统在白宫招待中国领导人的国宴。

赵锡成刚到美国创业时,成立了一家航运公司,但一只船也没有,他从中间人生意开始做起。赵锡成到美国农林部争取订单,虽然被许多人批评和嘲笑好高骛远,但他通过不断努力,终于成功了。他还把联合国难民署发展成客户,为难民署运输援助物资。当然这也和赵锡成自身的能力有关,他不到30岁就成了代理船长,在台湾甲级船长特种考试中一举夺魁,还打破了历史纪录,被台湾媒体争相报道。1975年,赵锡成希望扩大公司规模,刚走出校门的女儿赵小兰给他起草了计划,这个计划就像文章开头讲的故事一样精彩,区别是,这是真的,而且成功了。在赵小兰的计划中,他们先和全球第二大谷物公司柯克签订长期租船合同，然后拿合同找美国银行贷款，因为有合同，美国银行就愿意贷款给他们，他们再拿贷款向日本船厂定制轮船，最后再找全球最大的保险公司劳德做风险投保。这个计划环环相扣，容不得一丝出错，无论哪一个环节出问题，都会导致全盘皆输。可想而知，他们一定遇到了无数困难，但他们最终将方案变成了现实，从日本订购了3艘1.7万吨的大型货轮，公司实力大增，实现了质的飞跃。20世纪90年代，赵锡成的公司成为美国航运界最大的企业之一，赵锡成赢得了"华人船王"的美誉。2004年5月，在纽约联合国总部，他还被列入"国际航运名人堂"。

正是赵小兰有这样的思考模式，才使得她能在以后的政府工作中得心应手，成为美国历史上第一位华裔内阁部长。

第六节　抓机遇技能

国内外经济发展的实践证明，每个时代性、行业性的大机遇出现时，必然会造就一大批大企业家。创业者如果能看到并抓住这种大的时代性、行业性的机会，再加上自身的努力经营，往往会成为卓越的成功者。我国快递市场诞生了无数神话，申通、顺丰、圆通、中通等企业成功上市，已经成为推动我国电子商务行业快速发展、物流行业转型升级的中坚力量。而这些企业的诞生，正是抓住了20世纪90年代初期外贸快速发展的重大机遇，王卫在香港、聂腾飞在杭州，几乎同时看到了这一机遇，开始往返于深圳与香港、上海与杭州，为外贸企业送报关单，实现了企业原始资本的积累，也共同勾画出了我国快递市场的雏形。

20世纪80年代末90年代初，很多香港服装、印染公司为了节约成本纷纷在大陆设厂，只把门店留在香港。很多工厂会派人在码头找人帮忙把印染样品捎到香港。经常往返于香港与大陆的王卫看准这个商机，在广东佛山顺德区注册成立了专门送快件的顺丰公司，那一年是1993年，王卫只有22岁，亲自做派件工，第一年公司只有6个人。由于切中了市场需求痛点，很快顺丰便以顺德为基地，将业务范围拓展至广东全境。1999年前后，顺丰以合作和加盟代理的方式开始了"快递王国"的开疆拓土。

1993年,在杭州一家印染厂打工的夏塘村年轻人聂腾飞发现了一门好差事,他和工友詹际盛做起了"代人出差"的生意。当时需要往来于沪杭间的外贸公司遇到一个难题:报关单必须次日抵达港口,而EMS需要3天。于是,聂腾飞每日凌晨坐火车从杭州去上海,詹际盛在火车站接货后送往市区各地。跑一单100元,除去来回车票30元,能赚70元。1993年,20出头的聂腾飞和詹际盛开办了一家私人快递公司——盛彤公司,即申通的前身。

一、抓机遇技能的内涵

市场机遇是转瞬即逝的,而且具有很强的隐蔽性。因此,抓机遇技能考验的是创业者敏锐的市场眼光和当机立断的决策能力,一旦错失良机,将会被时代无情地淘汰。聪明的创业者懂得在市场机遇中透过现象看本质,通过当前看长远,从而提前进行宏观战略规划。马云在创办阿里巴巴之初,我国互联网市场几乎是空白,但是从华尔街考察回国的马云看到了互联网时代的巨大红利,他辞掉公职,从零开始,成为我国电商行业巨头企业,带动了无数相关行业小企业的发展,甚至对全球经济产生了越来越大的影响。

二、抓机遇技能的提升路径

1. 嗅觉敏锐,寻找蓝海市场

众所周知,红海市场竞争激烈,不太适合青年创业者的加入,因此,要善于从红海市场的夹缝中寻找蓝海市场,作为创业的切入点。如正谷家宴公司,虽然属于餐饮行业,但是将消费者定位为北京的中产阶级家庭,打造一种"小而美"的聚餐文化,取得了成功。"故宫文创"等项目,抓住了2008年奥运年的重大机遇,适时推出故宫文创系列产品,后来经过了不断的创新改进。2018年,故宫口红引发抢购潮,2019年4月面世的故宫"初雪"调料罐又成为"网红"产品,2019年年底,"带故宫喵回家"又成新创意。

2. 关注宏观经济环境,顺势而为

宏观经济环境,一是政策环境,二是行业现状。宏观经济政策是经济运行环境的风向标。作为一名新时代的创业者,必须时刻关注国家政策,抓住政策提倡的经济增长极,审时度势,顺势而为。近年来,国家推行乡村振兴战略,

催生了很多大学生在农村的创业项目。行业发展现状是创业者制定发展计划的基础和依据,在信息化时代,必须利用好人工智能、大数据等信息技术,对行业最新数据进行加工处理,从而了解竞争形势、需求现状等信息,进一步挖掘市场需求痛点。

例如,从2019年年底开始的新型冠状病毒肺炎疫情,短短几个月时间,已经肆虐全球,各国在进行疫情防控的同时,医疗行业等直接相关行业的需求大涨,但是我们也应看到这次疫情过后,互联网医疗、在线教学、大健康等行业将迎来发展红利期。

3. 从市场需求的差异化中寻求机遇

要有"东方不亮西方亮,黑了南方有北方"的思维,我国地域广阔,市场需求有很强的地域性、差异化,因此,青年创业者的创业机遇可谓是无处不在。比如,江浙一带的电商行业已经非常成熟,而我国中西部地区的电商相对落后,大量优质产品由于信息闭塞、沟通不畅等原因导致了销售难,农民增收难,农村发展难。近两年,很多国家级贫困县就抓住了电商直播带货这一新的电商业态,多个地方的市长、县长、乡长、村长走进直播间,这一形式借助最新的销售模式,也迎合了电商行业"人货场"发生的变化,起到了很好的带货效果。

案例:

农产品销售抓机遇——淘宝直播带动数字化农业发展

2018年,淘宝直播平台带货超过1000亿元,同比增速近400%,创造了一个全新的千亿级增量市场。

淘宝直播已经成为农民的"新农具",一批农人主播将特色农产品卖进城市,帮助家乡脱贫。湘西九妹淘宝直播帮村民卖山货,两天时间,九妹帮村民卖出40万元的滞销猕猴桃,13天卖出200万斤橙子。桃农陈志华自家水蜜桃卖不完只能烂在地里,后来15名淘宝主播驰援,1个小时内3000斤水蜜桃销售一空。2018年9月17日,淘宝直播号召全网最强十大农产品带货主播义务助阵9·17丰收节晚会,4小时创造了1000万的销售奇迹。淘宝直播顺势推出"村播计划",将帮助100县1000位农民主播实现月入万元,助力优质农产品上行,实现产业扶贫。

2020年2月6日,针对新型冠状病毒肺炎疫情导致的农产品滞销,淘宝率先启动"爱心助农"计划,并成立10亿规模的爱心助农基金,出台助农十大举措,其中之一就是帮助农产品商家免费开通淘宝直播,建设更多的原产地直播间,这不仅在于促进农产品销售,同时还拉近了消费者和产地的距离,创造了农业数字化的新场景,并吸引了很多土特产品入驻。

2020年3月15日,作为淘宝直播"春播月"的高潮,超过100位县市长来到淘宝直播,为数千款特色农货代言。山东惠民县县委副书记李宁波,在这天连续直播3个小时,带了30多款货。李宁波的直播中,不仅玉米、香菇、鸡蛋、黑豆、蜂蜜等近30款农货摆了满满一大桌,盆栽、拖鞋、麻绳等特产也纷纷登场,持续3个小时的直播吸引了100多万网友关注,当场卖出39000多枚鸡蛋,7500个玉米棒,3000多斤大蒜,2000斤香菇。三亚市市长一场直播卖出6万斤芒果,庆阳市副市长带货2万斤苹果。喜人的销售数据背后正是各地抓住淘宝直播这一机遇的生动写照。

在创业过程中,以上技能并非作为单独个体而存在,而是相互作用、相互影响的。细致入微的观察往往使得创业者发现蓝海市场并投身其中,而创业者不断学习的过程也是借势发展的过程,等等。除以上技能外,创新思维的能力培养还包括互联网思维能力、抗压力等。

思 考 题

1. 创新思维能力训练中学习技能的内涵及提升路径有哪些?
2. 创新思维能力训练中问题技能的内涵及提升路径有哪些?
3. 创新思维能力训练中借力技能的内涵及提升路径有哪些?

第七章

创新创业案例解读

第一节 盛智文创业

弃外国国籍入中国国籍,成世界百亿富豪,称:很自豪成为一名中国人。

盛智文出生在德国,是一位从德国移居到美国纽约的犹太人,从小就表现出了惊人的经商天赋。16 岁靠自己的努力买下人生中第一辆车,19 岁时,盛智文孤身一人前往中国香港打拼,在房地产、电影投资方面取得了十分优秀的成绩,是一位非常成功的商人。来到香港后,盛智文的事业发展得风生水起,与李嘉诚等富商关系紧密,如今,盛智文已经成为世界百亿富豪之一。在中国生活多年,盛智文对这个充满文化底蕴的国家产生了十分深厚的感情。2008 年,58 岁的盛智文放弃自己的加拿大国籍,向中国政府提交申请,正式成为一名中国人。此后每当提及此事,盛智文都坚定地表示自己不后悔加入中国国籍,也很自豪自己能成为一名中国人。人们对于犹太人一直有着"头脑机灵""思维敏捷"的印象,这些特点在盛智文身上也得到了充分的体现。

在盛智文 7 岁时,他的父亲因意外去世,仅由母亲一人外出挣钱养家。因为心疼母亲，盛智文从 10 岁开始就靠兼职挣钱补贴家用。他曾经送过报纸、在餐馆端过盘子，一切能够挣钱的工作在他看来都十分有吸引力。几年下来，一边上学一边打工的盛智文攒下了不少钱，此时的盛智文有了新的追求，对自己未来的人生也有了全新的规划。

19 岁身价百万来港打拼，贸易、地产、饮食样样在行

17 岁时，盛智文放弃了读大学的机会，从事商业活动。

19 岁时，盛智文决定来中国香港打拼，在来中国之前，盛智文已经凭借在服装厂的工作攒下了 100 万加币。

中国香港较低的税率、浓厚的商业气息吸引了大批商人，盛智文也在香港全心全意地经营自己的事业。盛智文初到香港时，主要进行的是服装贸易，通过在内地与香港进行服装加工，随后将制成品出口国外赚取外汇。除了服装贸易，盛智文还进行过餐饮方面的投资。盛智文通过服装贸易积累资金进而不断开发与餐饮相关的周边项目，娱乐、餐饮、酒吧等投资项目比盛智文进行服装贸易时挣得更多。在积累了足够的资金后，盛智文干脆将自己餐厅所在的大楼买了下来，将店面出租赚取租金。

在贸易、餐饮、房地产方面，盛智文表现出犹太人天生的经营头脑，赚了个盆满钵满。由于盛智文在香港兰桂坊的生意规模不断扩大，帮助兰桂坊吸引了大量消费者，盛智文获得了"兰桂坊之父"的美誉。然而，盛智文并没有止步于此，他又开始研究起新的副业。

再动脑筋开发副业，电影领域发现投资商机

在各个领域进行经营都大获成功的盛智文，开始考虑开发一项副业。通过自己认识的一位好莱坞演员朋友，盛智文开始将眼光转移到了电影领域。在与这位朋友进行沟通时，盛智文发现，虽然电影领域有很多人都很会拍电影，但是却不懂得如何将自己的电影作品推销出去获得收益，而盛智文恰巧是一个不懂电影却很会做生意的商人。盛智文不愿错过这难得的商机，他开始和这位懂电影的朋友商量如何投资拍摄好莱坞电影。对于这个自己不太熟悉的领域，盛智文做好了各方面的风险预测并提出了一个巧妙的解决办法。盛智文在电影进行拍摄前进行全球预售，当预售价格足以抵消拍摄成本时才会开拍。这样的投资方式使得盛智文即使不懂电影，也能保证自己稳赚不赔。除了这些因素之外，盛智文还充分考虑了市场、题材方面的问题，他将这些问题逐个进行研究，寻

找商机。在他看来，投资拍电影也是一种生意，只有善于发现商机的人才能从中获利。

亲历海啸更加珍惜生活，加入中国国籍宣称永不后悔

事业上一帆风顺，但在生活中，盛智文经历的一场东南亚海啸使他对于生活有了新的理解。据盛智文回忆，当时海啸来得太突然，许多人甚至还没意识到那是海啸就被带走了生命。虽然亲眼目睹了海啸的威力，但是盛智文没有选择离开，他留在当地帮助寻找海啸中失踪的人。经历过这次海啸，盛智文突然发现人的一生根本无法预料下一刻会发生什么，只有活在当下过好每一天，离开时才不会觉得遗憾。

对于自己做出的加入中国国籍的决定，盛智文也表示自己从未后悔过，他早已经将香港当作自己的家，将中国当作了自己的祖国，在这里度过的每一天都令他感到充实而快乐。

结　语

除了投资生意，盛智文还十分热衷公益。在盛智文看来，并不是所有的投资都需要用金钱来回报，做公益对整个社会带来的帮助是不能用金钱衡量的。像盛智文所说，金钱并不一定会带来快乐，他一直希望自己能够快乐地生活，所以选择这样的方式来回报社会。如今，盛智文更加注重如何维持健康的身体，平日里除了工作就是在健身房进行锻炼，偶尔还会到世界各地旅游放松心情。曾经在商界叱咤风云的盛智文，如今也过上了闲云野鹤般的生活。虽然现在的盛智文已经不再像年轻时那样四处追逐商机，但他在商界创造的各种传奇，注定会对所有人有所启发。

（资料来源：中国创业网）

第二部分 创造性思维的训练

 创业故事启迪

你要快乐赚钱
你要有社会情怀

成功的秘密
一是拥有创业的胆识
二是拥有敏锐的眼光
三是拥有一定的资金
四是拥有一些好朋友

 关键

创新创业

 小故事

买 烟

甲去买烟，烟29元，但他没有火柴，他跟店员说："顺便送一盒火柴吧。"店员没给。乙去买烟，烟29元，他也没有火柴，他跟店员说："便宜一毛吧。"最后，他用这一毛钱买了一盒火柴。这就是最简单的心理边际效应。

第一种：店主认为自己在一个商品上赚钱了，另外一个没赚钱。赚钱感觉指数为1。

第二种：店主认为两个商品都赚钱了，赚钱指数为2。当然心理倾向第二种。同样，这种心理还表现在买一送一的营销方式上，顾客认为有一样东西不用付钱，就赚了，其实都是心理边际效应在作怪。

小结：

变换一种思维方式往往能产生意想不到的效果。在创业道路上学会转换心智模式和思维方式是非常重要的。

第二节　杨云创业

实习就拿6万，却放弃高薪，陕西"90后"小伙创业成功。

他是同学眼中"不学无术"的叛逆少年，也是令人羡慕的健身达人。他毕业后找到了高薪工作，却因不满过分"安逸"而选择辞职离开。他的第二份工作薪资最初只有1200元，他却凭着满腔热血和一群挚友创办了属于自己的工作室，成为一个为梦想奋斗的创业者。他就是创业者杨云，西安科技大学电气与控制学院2014届毕业生。

放弃"铁饭碗"，不求高薪，但问初心

2010年，19岁的杨云通过高考来到了西安科技大学电气与控制学院自动化专业的大家庭中。爱好运动的他，在不影响学习的前提下，"玩"上了健身，在西安科技大学健身馆一"玩"就是四年。当舍友在宿舍畅谈梦想时，他在跑步机上挥汗如雨；当别人周末去参加聚会时，他在健身房用哑铃锻炼臂力，不断挑战着自己。看似"不学无术"的他，变成了"灌篮高手"。大二担任学生会体育部部长时，还曾带领电气与控制学院在学校运动会上勇夺冠军。

时光转瞬即逝，杨云在象牙塔的日子也即将结束，大学成绩优异的他，毕业后顺利进入了淮南矿业西部公司内蒙古银宏能源有限责任公司。担任机电助理工程师的他，见习期的薪酬便拿到了6万左右，还享受着丰厚的福利待遇，令同学们羡慕不已。刚刚步入职场的他工作十分努力，与同事相处得也很融洽。

但过了一段时间后，杨云发现，自己很难融入同事的圈子。由于单位地理位置偏僻，附近也没有任何娱乐场所，同事们下班后常常喜欢聚在一起喝酒、闲聊，而杨云却喜欢一个人待在房间里健身。没有健身设施，他就从网上购买设备，没有人陪他健身，他就把自己当作最亲密的朋友。看着身边工作了三五年的同事们的"安逸"状态，杨云突然间很害怕有一天自己也会被同化。虽然工作很稳定，待遇也很丰厚，但却很可能会丢失了自己的爱好，甚至丢失了最初的自己。终于，他突破了内心的种种限制，毅然辞职。

从爱好到事业，他秒变"最会营销"的健身达人

辞职后的杨云并没有着急找工作，他花了整整一个月的时间去思考自己未来的人生规划。在综合了自己的兴趣爱好和能力后，他前往西安超越健身房应聘私人教练。从一个机电助理工程师到私人教练，这不仅仅意味着工作类型的不同，而且意味着工作方式也存在着很大的差异。

习惯了埋头苦干的他，面对这样一个需要经常与人沟通，甚至还带有销售业绩要求的岗位，杨云备尝艰辛。第一个月，他只拿到了1200元的微薄底薪，销售业绩几乎为零。在不断的反思中，杨云也在努力提升自己。他更自嘲道：以后不要叫他杨云，他的名字是杨勤奋。通过不断参加专业的培训和考核，他拿到了健身营养师证书，被选为健美项目中华人民共和国一级裁判员，还成为了ASNA亚洲运动营养协会（中国区）的预备导师。

虽然获得了很多的证书与荣誉，但是杨云却没有因此而松懈。性格乐观开朗的他，很快就掌握了销售技巧。第二个月，杨云便拿到了1万元的高薪，并屡创佳绩，偶尔还会成为公司的销售冠军。常言道：再小的事情，只要肯用心去做，最终都能实现自身的个人价值和社会价值。在见证了会员们从臃肿的身材逐渐锻炼到拥有完美的曲线后，他更加肯定了当初的选择！

并肩作战，他们把自己"玩"成了一个创业家

就在杨云积攒了一定口碑，想要进一步向上发展时，西安超越健身房由于经营不善，关门停业。既然没有了工作，那不如创造一间属于自己的健身馆。想到这里，积极向上的杨云立刻联系了一群志同道合的朋友，从此，一群热血青年迈出他们创业的第一步。而此时，已经有了丰富创业经验的校友王波主动向杨云伸出了援手，王波身为即刻健身创始人，国家高级专业私人教练，在健身圈内已经小有名气。热情的他告诉杨云，一个好的健身馆不在于大，而是求"专

业"。从此，两个年轻人开始一起"并肩作战"。

杨云说创业就好像是在"玩"，因为这是一件让自己兴奋不已，非常有趣的事情。就像打游戏一样，攻克完这一关还会继续下一关。无论成功或失败，他都非常享受和小伙伴们一起创业的过程。从选择场地到购买器材，从前期宣传到后期销售。在那间狭小的办公室中，他们曾互相争执，也曾不欢而散，但却始终未曾忘记最初的梦想。

2016年12月，DF私人健身馆鲁家村店正式开业，由于精细化的服务和专业的健身指导，健身馆收获了许多好评。2017年10月，DF私人健身馆分馆交大店也正式投入市场中。与此同时，王波的即刻健身馆也在迅速发展，他们的精彩创业故事还在继续……梦想、使命感、发自内心的渴望，都会使我们释放出更多的创造力，这个世界不仅仅属于像杨云和王波这样的创业者，更属于每一个奋斗中的追梦人。

漫漫人生路，唯有奋斗才是青春最靓丽的底色，拼搏才是青春最深刻的印记！

（资料来源：西安科技大学官微）

 创业故事启迪

你有一个很好的创业团队
你有一个很好的产品项目

成功的秘密
一是有创业的胆识
二是有创业的机遇
三是有创业的资本
四是有一些工作经验

 关键

创新创业

 小故事

哥伦布的鸡蛋

哥伦布发现美洲后，许多人认为哥伦布只不过是凑巧看到，其他任何人只要有他的运气，都可以做到。于是，在一个盛大的宴会上，一位贵族说道："哥伦布先生，我们谁都知道，美洲就在那儿，你不过是凑巧先去了。如果是我们去也会发现的。

面对责难,哥伦布不慌不乱,他灵机一动,拿起了桌上的一个鸡蛋,对大家说:"诸位先生、女士们,你们谁能够把鸡蛋立在桌子上?请问你们谁能做到呢?"大家跃跃欲试,却一个个败下阵来。哥伦布微微一笑,拿起鸡蛋,在桌上轻轻一磕,就把鸡蛋立在那儿。

哥伦布随后说:"是的,就这么简单。发现美洲确实不难,就像立起这个鸡蛋一样容易。但是在我没有立起它之前,你们谁又做到了呢?"创新从本质上是一种对新思想、新角度、新变化采取的欢迎态度,它也表现为看问题的新角度。很多时候,人们会说,这也算是创新吗?原来我也知道啊!

小结:

创新就是这么简单,关键在于你敢不敢想,愿不愿做。

第三节 研究生创业

陕西"超牛"研究生:创办公司,获数百万投资,拿全国总冠军,用脑控帮瘫痪患者站起来。

运用意念控制机器,让丧失运动功能的人重获运动乐趣,这曾是无数科幻小说里描述的美好而不可及的场景,西安交通大学脑控机器人创业团队研发的脑控康复机器人,让这一切成为现实。团队先后囊括联想 Al 精英挑战赛全国总冠军、世界医疗机器人大赛中国区冠军等多项重磅赛事大奖,并顺利获得数百万的天使投资,创业项目成功落地。如今,团队成果——臻泰智能已成功从西安交通大学孵化,入驻西安高新区。作为医疗器械行业的新公司,臻泰智能以成为医疗康复行业领导者为己任,在实现科技服务生命的使命路上砥砺前行。

王浩冲，西安交通大学 2016 级机械工程学院医工交叉研究所硕士研究生，西安臻泰智能科技有限公司创始人兼 CEO，入选福布斯 2019 年中国 30 岁以下精英榜单。在校期间，王浩冲师从罗爱玲教授和徐光华教授，参与脑机接口与康复机器人项目研究。

创业的成功，离不开天时地利人和

自主创业要从脑海中的模糊概念变成现实，需要天时地利人和。将人工智能技术、虚拟现实技术等先进科技手段与医疗结合的智意医疗为脑控机器人创业团队提供了灵感。同时，西安交通大学医工交叉研究所在这一领域有深厚的成果积累，产品运用的脑机接口专利便产生于此。脑机接口技术运用精确运动意念识别算法来促进受损神经修复，重塑神经通道，这一技术对于医疗行业极为先进，拥有广阔的市场前景，为王浩冲及其团队提供了不可多得的创业机遇。

核心技术是创业的骨架，要想充分实现其价值，还需要团队成员为其外表附上丰富的血肉——资金、人脉、口碑、市场等。团队主创成员以西安交通大学医工交叉研究所的硕士、博士生为主，科班出身的他们通过参加各类创业比赛和专业性比赛来更新创业理念，打磨创业规划，积累口碑，吸引投资，为之后的发展蓄势。在第五届中国"互联网+"大学生创新创业大赛比赛准备过程中，成员们精益求精，狠抓每个环节，从 PPT 准备到和评委的沟通交流，力求每个环节的完美，最终如愿获得该比赛"青年红色筑梦之旅"赛道金奖。一路稳扎稳打，使脑控机器人团队得以在一众学生创业项目中突出重围。

秉持为生命服务的初心，在实践中寻找答案

技术的初心应是服务生命，捍卫生而为人的尊严。如何运用技术帮助更多患者生活得更加体面，重拾对生活的热爱？如何在保持公司盈利和提供合适的服务之间取得平衡？这支团队一直在思索，也努力在实践中给出自己的答案。

团队赴吴起县调研时发现该县 70% 贫困人口都是因病致贫，其中不少家庭的顶梁柱因中风丧失劳动能力，生活压力大。针对这一情况，公司准备推出不同的产品线以满足不同经济能力和康复需求的人群，小型康复机器人专门设计居家使用，价格也在普通城乡居民可承受范围内。同时，他们计划争取将康复机器人纳入医保范围，以在不额外增加经济负担的前提下提高患者的生活质量。此外，公司与西京医院、浙江省人民医院等多家三甲医院达成合作意向，

让部分患者得以先行享受技术的福利。试验结果显示：脑控康复系统训练相较传统恢复方法在病人神经认知与基础运动功能改善方面更为有效。

迎接挑战，向着目标不断进阶

与在学校进行的创业尝试不同，市场容错率更低，对产品的要求更为严苛。而产品从脑海走向市场还需经历外形设计、定价、营销等更为复杂的考验。团队成员都在小心翼翼地应对转型带来的新挑战，如对部门人员安排进行细化分工，通过市场招聘专业人才等。成长的心从不会安于一隅，未来的公司业务也将以西安为起点，逐步推广到其他地区。同时，团队将考虑加强与国际领先团队合作，以推动自身研发能力的提高。即使创立不久，臻泰智能已有成为医疗康复行业领导者的雄心，他们需要做的，便是累积经验，向着目标不断进阶。

因智能脑控技术的应用，生命的解放不再是海伦·凯勒笔下对三日光明的苦苦遐想，从智想到智造，重新恢复意识对身体的控制权，是科技赠予困厄儿的新生。脑控机器人团队的成员们将面向未来，带着"臻于至善，福泰安康"的美好愿景，用智慧重新点亮生命之光。

（资料来源：西安交通大学官网）

 创业故事启迪

你拥有先进的产品创新技术
你拥有一个很好的创业平台

 成功的秘密
一是有强大的创业团队
二是有可用的创业资本
三是有精准的创业产品
四是有潜在的产品市场

关键 创新创业

 小故事

砌墙工人的命运

三个工人在砌一堵墙。有人过来问："你们在干什么？"第一个人语气生硬地说："没看见吗？砌墙。"第二个人抬头笑了笑，说："我们在盖一幢高楼。"第三个人边干边哼着歌曲，他的笑容很灿烂："我们正在建设一个新城市。"十年后,第一个人在另一个工地上砌墙;第二个人坐在办公室中画图纸,他成了工程师;第三个人呢,是前两个人的老板。

小结:

你心中的平凡工作其实就是大事业的开端,能否意识到这一点意味着你能否成就一番大事业。

第四节　小柿子创造大事业

创业在渭南
　　小柿子
　　　　大事业

富平县是柿子的优生区,这里很多人在柿子上做文章,乔彬彬就是其中一位。

生于1987年的乔彬彬是土生土长的富平人。2006年毕业后,他进入一家国企上班,因为头脑灵活且吃苦能干,几年时间就做到了这家企业分公司的领导层。几年的历练让乔彬彬开阔了眼界,增长了见识。那时互联网刚刚兴起,一次偶然的机会,他接触到电商平台,鼠标一点就能做买卖,乔彬彬立刻被这种全新的销售模式所吸引。虽然在大城市过着稳定的白领生活,但乔彬彬却一直琢磨着怎样才能让父老乡亲富起来。一次,他休假回家,发现乡亲们做好的成吨柿饼卖不出去,心里又着急又难受,很快,他就萌发了在网络上销售柿饼的想法。

说干就干,他开始尝试借助互联网卖柿饼,没想到富平柿饼很快在网络上成交了,这让乔彬彬一下子有了信心。由于善于钻研、诚实守信,乔彬彬的网店生意越来越好。仅2007年,他就成功利用互联网销售柿饼2000多斤,给乡亲们带来了可观的收入。乔彬彬在国企工作稳扎稳打，柿饼电商生意也做得顺风顺水。但2012年，乔彬彬却做出了一个让人意外的决定，辞去稳定的国企工作，回家乡专心做柿饼生意。跳出农门后又回来，靠不能长期保存的小柿子能挣钱？父母妻子，亲朋好友都很不理解，纷纷劝他不要"冒险"。

但乔彬彬还是"固执"地辞职回了家，带着多年打拼积攒的130万元返乡创业，创立了陕西新农人电子商务有限公司和富平县山臻柿子种植专业合作社，在自己村口建起了标准化厂区，购置了现代化的柿饼加工和包装设备，紧盯小柿子做起大文章。他坚信靠柿子一定能开辟一片新天地，让父老乡亲早日富起来。理想很丰满，现实却困难重重。130万元启动资金远远不够，从未借钱的他不得不向亲戚朋友开口，1万元、2万元凑起来，放到厂子里一下子又没了，有段时间他为了资金愁得整晚睡不着觉。正在此时，富平县相关部门开始关注他，给他送来了优惠政策，帮他申请创业贷款，帮助他让陕西新农人电子商务有限公司渐渐走上了正轨。

柿饼是入口的生意，必须严把品质关。他要求厂里制作柿饼的柿子必须是霜降后采摘的大尖柿，削皮、晾晒过程中必须确保卫生，如果做成的柿饼有质量问题，哪怕再小，也绝不能流入市场。有一次给东北客商发柿饼，乔彬彬发现正在包装的柿饼中有几筐因为天气热导致糖霜融化了。虽然只是糖霜融化了，但路上几天的运输，糖霜融掉的几个柿饼就有可能发霉，进而影响到其他柿饼。他立即让工人把那几筐柿饼从包装生产线上撤下来。为了防止此类事情再度发生，他制定了严格的规章制度，确保从他们公司发出的每一盒柿饼都质量上乘。

因为做生意诚实守信，对质量把控严之又严，乔彬彬每年都会收到很多回头客的大额订单，特别是颐和果园、京东、天天果园等20多家大型交易平台与新农人电子商务有限公司建立了合作关系，让乔彬彬的柿子产业发展得越来越好。他的公司不仅安排了村上几名残疾人就业，每年霜降后，周边群众还到厂里打工，可以在农闲的冬季多一份收入。他让群众依靠种植柿子、制作柿饼鼓起了腰包。

社交零售风的到来，为富平柿饼带来了更大的发展机遇。作为社交零售领域的引领者，云集共享科技有限公司找到了乔彬彬，希望将富平柿饼纳入云集微店"百县千品"项目。他们发现富平柿饼在加工环节和后端营销的组织化、规模化、商品化程度上还有较大的提升空间，于是决定启动对富平柿饼的品牌孵化。而乔彬彬的公司在柿饼制作过程中进行全环节无尘化晾晒、标准化加工、自动化包装、品牌化运营，符合项目选择标准。

2017年12月14日，首批按照新标准生产的富平柿饼正式在云集微店上架。通过云集微店覆盖全国各地的280多万名店主上线分享，富平柿饼品牌信息飞速传播，触及上千万名终端消费者。上线仅1个小时，首批1万组富平柿饼便被一抢而空，后续紧急补仓1万组再次上线。截至当日17时30分，3万组富平柿饼售罄，销售额达300万元。见证了如此惊人的销售纪录，乔彬彬对富平柿饼与社交零售的结合更加有信心，当日与云集签订了富平柿饼产业的第一笔千万元大单，建立了长期合作伙伴关系。

这几天是乔彬彬一年中最忙的时段。他带着公司的几名员工在各处柿子园里转，订购最好的富平大尖柿。一个又一个电话打进来，全是老客户："今年一定要保证我们的收购量！"乔彬彬笑着一一答应。再过一段时间，新农人电子商务有限公司将再次热闹起来，乡亲们都将在这里开始新一季的忙碌。

（资料来源：2019年9月9日《渭南日报》）

创业故事启迪

你拥有强大的产品营销平台
你拥有创新的农产品标准

成功的秘密

一是拥有过人的创业胆识
二是拥有很好的创业平台
三是拥有多方的交易平台
四是拥有诚信的合作伙伴
五是拥有一定的创业资本

创新创业

小故事

青蛙现象

有人做过一个实验，把青蛙放到一锅热水中，青蛙遇到剧烈的变化就会立即跳出来，反应很快。但是把青蛙放到冷水中，慢慢给水加温，你会发现青蛙刚开始会很舒适地在水里游来游去。锅里的水温在慢慢地上升，它毫无知觉，仍然感到暖洋洋的。一旦温度上升到70℃—80℃时，它觉得有威胁，想跳出来，可是已经来不及了。因为它的腿不听使唤，再也跳不起来了，最后只得被煮死。这就是温水煮青蛙的故事。

小结：

第一，外部环境的改变往往能导致我们的成功或失败。外部环境的改变有时是看不到的，我们必须时刻注意，多观察、多警醒，并主动接受改变，才不至于迷茫。

第二，过于安逸的环境往往隐藏着最危险的时刻。乐于习惯的生活方式，也许就是最危险的生活方式。要勇于不断创新，打破旧有的模式，并相信任何事物都有持续改善的地方。

第三，要能觉察到外部环境的微妙改变，要学会"停下来"从不同角度来思考变化的事物，不断学习是发现改变的最佳途径。

第五节 郓城小伙返乡创业，助力乡村振兴

返乡创业

郓城小伙杨树丹把电商做得风生水起

郓城小伙返乡创业，助力乡村振兴

"做电商重在坚持，相信风雨过后是彩虹！"在首届牡丹之都农村电子商务发展分论坛上，李鹏飞被评为全市农村电子商务优秀带头人。李鹏飞是郓城县电子商务促进会副会长，他多次召开线下交流活动，带动近百名青年从事电

商行业，8家传统企业成功转型电商，50多家店铺提升销售幅度。郓城县以全国农民工等人员返乡创业试点为契机，深入实施"电商+返乡创业"，将电商作为返乡创业主战场，引导返乡能人领办创办各类电商企业。全县265名农村淘宝合伙人中，返乡人员占240名；今年新上的网店、网商和电商平台，80%以上由返乡高校毕业生、新生代农民工等人员创办。

唐塔街道西代庄村返乡大学生郑本栋创办了艾尚羽羽绒制品有限公司，开设了O2O电商门店，年销售额达到3000多万元。郓州街道西樊庄返乡人员张宗队拥有十几项国家专利，开设了3个天猫旗舰店、2个淘宝企业店铺、10个淘宝集市店铺，年交易额达到2100万元。武安镇洪王村返乡创业人员王思刚借助本地木材加工优势，注册成立郓城班柯家居有限公司，采取"网店+工厂"模式，带动20多户村民进行网上销售，年交易额达1300多万元。在电商能人的带动下，郓城电子商务从无到有，先后培育出艾尚羽、班卓、华夏木老头、鑫殿堂、存恩等一批文化产业品牌和绿之邦、谷煎坊、自家院子、仲堌堆、晨农本草等农特产品互联网品牌。

几年前，一个大学生辞掉了城市的白领工作，在家开个小门市搞生意，不少人看不惯，说这孩子没出息，干不了大事。

几年过去了，这个小伙子把生意做得红红火火，让乡亲们从看不惯到刮目相看——他叫杨树丹，家住郓城县郭屯镇大屯村。2009年毕业于江西财经大学计算机专业，在校期间他注册了自己的淘宝店铺。毕业后去了无锡一家网络公司从事网站设计和运营工作。

在杨树丹心里，漂泊在外总不如回家创业，白领工作虽然轻松而雅静，但是不是他想要的生活。经过再三思考，他决定辞掉工作回家创业。杨树丹在大学期间学习的是计算机专业，他决定从利用计算机专长入手。2011年，他在郭屯镇集市上开了一家电脑专卖店，主营品牌电脑销售及维修，半年后又新增了安防监控和企业网站建设业务。经过4年的创业，他赚到了人生中的第一桶金。2015年，电脑市场出现下滑迹象，整体市场逐渐被智能手机取代。杨树丹感到了行业危机的来临，决定放弃数码行业，转做其他行业。同年7至9月，他先后到广东、福建、浙江、江苏等地考察，发现一线和二线等发达城市的电子商务发展已经形成了十分成熟的市场体系，加上全国各地的农村快递网络逐渐完善。他认为在家做电商将来一定会有很大的市场空间，于是他便把精力转到电子商务上面，又重新把他在大学期间注册的淘宝店铺经营起来。杨树丹的网店主要销售菏泽本地特产和室内家居产品。利用地域优势和成本优势大力发展本地特色产品，不但避免了和大品牌店铺直接竞争，而且还让淘宝店铺更有特色性。

俗话说万事开头难，刚开始几个月，网店一直都没有起色，他在网上搜索了一下，卖菏泽特产的商家并不多，说明特产品市场潜力很大。问题到底出在哪里？随着郓城当地的电商氛围越来越浓厚，郓城县商务局等主管部门每年都举行大量面向电商创业者的各类电商培训。经过这几年的不断学习积累，他的店铺迎来了飞速增长，2019年经营额已达400多万元。随着业务量的增多和范围的增广，杨树丹注册了电子商务公司，拥有了自己的商标和知识产权，并开通了多个电商平台销售渠道，包括淘宝、拼多多、蘑菇街、折800等。

如今，杨树丹也从刚开店铺时的"独杆司令"发展到拥有20多名员工，经营种类达80多个，客户涉及全国30多个省市。2019年，郓城县全国电子商务进农村综合示范项目正式开展，杨树丹看到了发展农村电商、助力乡村振兴这一新的机会。依托于郓城县全国电子商务进农村综合示范项目，郓城县电子商务公共服务中心建设完成后，杨树丹马上向郓城县电子商务公共服务中心提交了申请，将自己的公司入驻了郓城县电子商务公共服务中心。他充分利用郓城县电子商务公共服务中心的摄影棚、直播间、展厅等公共配套资源，将自己的电商业务更加丰富化，并将直播作为自己电商业务拓展的重要工具，为自己在电商创业之路插上了一双腾飞的翅膀！

随着郓城县全国电子商务进农村综合示范项目的业务推进，电商进农村、快递到村的业务逐步开展，杨树丹又加入了自己所在的郭屯镇的镇级电商服务点，为全镇人民提供电商服务。同时作为快递到村的镇级枢纽，他帮助项目实现了自己家乡快递到村配送，同时利用自己多年从事电商的经验，帮助自己所在镇的村级电商服务站进行电商培训、业务指导。

努力付出总会有回报，在自己的电商创业之路越来越宽之后，杨树丹的创业精神也得到了社会各界的认可。2018年，他获得菏泽市电商"十佳讲师"及菏泽市电商创业导师荣誉称号，获得郓城县"十佳青年电商"称号，获得郭屯镇农村产业融合发展优秀带头人称号。2019年，他的淘宝网店获得十大网销农特产品店荣誉。2020年，他给自己定了个目标方向：全力带动家乡的农村电商发展，助力家乡的乡村振兴！

（资料来源：郓城县人民政府；中国创业网）

 创业故事启迪

政府搭建起建设性的创业平台
拥有一群志同道合的创业者

成功的秘密
一是拥有强烈的创业意识
二是拥有很好的创业平台
三是拥有良好的创业环境
四是拥有较好的专业知识
五是积累一定的创业资本

 关键

创新创业

 小故事

聪明的男孩

有个小男孩，有一天，妈妈带他到杂货店去买东西，老板看到这个可爱的小孩，就打开一罐糖果，让小男孩自己拿一把糖果。但是这个男孩却没有任何动作。几次的邀请之后，老板亲自抓了一大把糖果放进他的口袋中。回到家中，妈妈好奇地问小男孩，你为什么没有自己去抓糖果而要老板抓呢？小男孩回答得很妙："因为我的手比较小呀！而老板的手比较大，所以他拿的一定比我拿的多很多！"

小结：

这是一个聪明的孩子，他知道自身能力或力量有限，但更重要的是，他清楚地知道别人比自己在这一方面更强。凡事不能只考虑或仅靠自身的力量，要学会审时度势地依靠他人的力量，共同达到所期望的目标，这是一种谦卑，更是一种智慧。

第六节 蜗牛有房

正像陈圆圆本人在一次答谢客户的会议上所讲:"蜗牛背着它的房,我们背着您的梦。"

艰苦的童年生活环境,让陈圆圆早早就懂得了读书的意义。19岁那年,历经十几年寒窗苦读之后,陈圆圆带着她得之不易的大学录取通知书来到了北京,这一国之都正是她童年梦寐以求的理想国,但当真正面临着车水马龙与摩天大楼时,她才意识到改变自己命运的道路也许才刚刚开始。

高瞻远瞩的商业眼光,来自厚积薄发的人生经历

怀揣着对未来的憧憬与希望,也背负着家庭的责任与压力,陈圆圆开始了她一步步寻找人生使命的征程。2014年夏天,刚刚踏入社会的陈圆圆在迷茫与探索中成为一家传媒公司的经纪人助理。在负责打造童星的那段日子中,她从包装营销的工作任务中洞察到了形形色色的人性需求,深感到职场上升瓶颈的她辗转反侧。2015年,她来到上海一家企业咨询公司,从事银行的事业咨询服务。

当时的陈圆圆曾承担了北京、青岛等多地多家银行的培训项目,并且富有创造性地提出了很多有建设性的建议,在多个银行相关项目的实施过程中,高度成熟的市场触角让陈圆圆敏锐地发觉到一个重大的市场机遇,那就是贷款端银行与客户之间存在着明显的信息不对称现象。

2017年，在自己对市场的判断进一步论证与调查后，陈圆圆果断进入了银行贷款助贷企业的市场创业中，成立了蜗牛有房。怀揣着让房屋抵押贷款更加简单的企业愿景，她大踏步地走上了轰轰烈烈的创业之路。

只有帮助别人的成功，才是自己真正的成功

摸索到成功的真谛与创业的方向并不容易，当陈圆圆开始创业之后，才发现市场机遇的背后是纵深复杂的竞争格局与深入每个交易细节的实际问题。在那段房产热的疯狂时期，大量房产无法转成现金流，其问题不在于客户的需求强弱，而在于真正实现交易流程的速度与成本，这是在竞争对手中脱颖而出的法宝，更是实际解决客户痛点的关键问题。从此着手，陈圆圆一方面不惜大量投入成本，通过金融科技手段的运用和互联网技术层面的优化，大幅度优化响应速度，提高供需匹配度与市场发掘度，降低客户成本；另一方面与合作银行进行深入合作，用真诚的态度和有说服力的数据打动了合作银行，进一步提升了银行给予蜗牛有房的授权信任度，大大加速了客户房屋抵押贷款提款的进程，真正做到了完美解决客户核心需要的服务愿景，为后续打造客户与银行高效率、高频率、高质量双赢的局面奠定了良好的基础。

每个人与每个企业，都有成长历程中最艰辛的那段岁月，帮助他们走出低谷、看见蓝天，这就是蜗牛有房一直信奉的平台使命。

蜗牛背着它的房，我们背着您的梦

今天的蜗牛有房，正继续发挥着金融技术与互联网技术相结合的"智选平台"的强大优势，在成为全中国首屈一指的房抵助贷服务平台，打造"房屋抵押贷款就上蜗牛有房"的房屋抵押贷款助贷第一品牌的方向上飞速前进。陈圆圆和这个团队始终不会忘记他们人生或创业中最艰难的日子，也只有如此才能在面对那些深陷于泥沼的客户时，伸出一只真诚的手，托起一个人或一个企业明天的梦。

正像陈圆圆本人在一次答谢客户的会议上所讲："蜗牛背着它的房，我们背着您的梦。"

（资料来源：中国创业网）

创业故事启迪

能够站在客户的角度思考问题
富有创新的思想和敏锐的眼光

 成功的秘密
一是拥有强烈的创业意愿
二是拥有难得的创业机遇
三是拥有可靠的合作伙伴
四是拥有清晰的市场认识
五是积累一定的创业资本

关键

创新创业

 小故事

两个和尚

有两个和尚分别住在相邻的两座山上的庙里。两山之间有一条溪，两个和尚每天都会在同一时间下山去溪边挑水。不知不觉已经过了五年。突然有一天，左边这座山的和尚没有下山挑水，右边那座山的和尚心想："他大概睡着了。"哪知第二天，左边这座山的和尚还是没有下山挑水，第三天也一样，直到过了一个月，右边那座山的和尚想："我的朋友可能生病了。"

于是他便爬上左边这座山去探望他的老朋友。当他看到他的朋友正在庙前打太极拳时。他十分好奇地问："你已经一个月没有下山挑水了，难道你可以不喝水吗？"左边这座山的和尚指着一口井说："这五年来，我每天做完功课后，都会抽空挖这口井。

如今，终于让我挖出水，我就不必再下山挑水，我可以有更多的时间练习我喜欢的太极拳了。"

小结：

人们常常会忘记把握空闲后的时间，利用空闲时间挖掘一片属于自己的绿地，储备自己另一方面的资源。这样在未来当自己年纪大了，还依然会有生存的田地，而且还能生存得很悠闲。

第七节　略有所思

一、"穷困式思想"，只会让人越发贫穷

"穷大胆"者，敢于和领导斗气、跟领导抢功，不愿意投入，不愿意接受领导的批评，不认同领导的经营思想，不想和领导交流，总有借口，更有消极怠工等。殊不知，你之所以贫穷，是因为你没有领导的思维。一个勤劳的、创业型的领导，是你脱离贫穷、创业前的导师，绕着领导走，或许就绕走了你的青春。

二、寻求共同创业的伙伴

创业者要寻求既能共苦，又能同甘的伙伴。一起创业的伙伴，大都怀揣创业致富的梦想，有些伙伴虽然能够在创业路上共苦，但是无法抗拒创业成功时利益分配的考验。在利益分配时，仍然能够保持理智和宽容的心态，并同你分享成功与失败的人，欣赏你的优点，又包容你的缺点，并且懂得感恩，诚实可靠，品格坚强，那一定是值得一起合作的伙伴。

三、创业者要敢于空想

创业者需要一种凭空想象、天马行空的思维去想象出一个主意，产生出一个念想，就有可能发现一个商机。围绕这一"空想"，不断地整合资源，创造市场，谋划未来，把"空想"出的东西转变成现实的产品，并变成财富。只有"空想"，才能创造出别人想象不到的东西，且更容易创业成功。

四、管理是无情的

作为创业者，如果你真的尊重和爱你的伙伴，就严格用管理考核他、用管理要求他，用管理逼迫他成长。如果你因顾及情面而容忍低标准、低要求，就会培养一群小绵羊，这是对团队和成员发展前途最大的损害，并且会助长这些

人的自私、无知和懒惰。要让团队成员和下属因为你的领导而成长，让其拥有正确的人生观和价值观，具备高尚的品格，不断要求自我成长，这是领导对团队成员最大的帮助和尊重。

五、可以一生追随的领导

评价一位上级领导能否让其团队成员用一生时间去追随，是一件需要慎重考虑的事情。这不仅仅关乎团队成员的事业前途，更为重要的是，关乎其一生的价值追求和品德培养。

一位值得团队成员信赖的领导应具有以下品质：

1）能在团队成员需要帮助时，给予一定的指导和领导。

2）对企业发展方向清晰和行动目标明确的领导。

3）敢于容许团队成员犯错和给予发展机会的领导，通过发掘成员的潜力，给予其成长机会，在实践中培养其能力。

4）有健康的生活习惯和业余爱好的领导。

5）有成功创业经验的领导。

6）懂得创建团队"利益共同体"的领导。

7）懂得"授权与控制"内涵的领导。

8）具有高尚的公平公正和正义感的领导。

9）心胸宽广、敢于担当和勇于奋斗的领导。

10）真诚、不虚伪和表里如一的领导。

参考文献

[1] 白学军.智力心理学的研究进展[M].杭州:浙江人民出版社,1997.

[2] 刘奎林.灵感发生论新探//钱学森.关于思维科学[M].上海:上海人民出版社,1986.

[3] 林崇德,辛　涛.智力的培养[M].杭州:浙江人民出版社,1996.

[4] 爱因斯坦.爱因斯坦文集:第一卷[M].北京:商务印书馆,1976.

[5] 切克兰德.系统论的思想与实践[M].北京:华夏出版社,1990.

[6] 丁　辉.创新思维理论与实践研究[M].北京:华龄出版社,2010.

[7] 张路安,马晓丽.逻辑思维与非逻辑思维的关系研究[J].教育探索,2007(9).

[8] 王家福.传记是对生命的鉴赏[N].光明日报,1992-04-19(03).

[9] 迟维东.逻辑方法与创新思维[M].北京:中央编译出版社,2005.

[10] 阿瑞提.创造的秘密[M].钱岗南,译.沈阳:辽宁人民出版社,1987.

[11] 巨　青.科学逻辑[M].长春:吉林人民出版社,1984.

[12] 钱颖一.批判性思维与创造性思维教育:理念与实践[J].清华大学教育研究,2018(4).

[13] 马特·金登.创新之力:将创意变为现实[M].谢绍东,等译,北京:电子工业出版社,2014.

[14] 亚里·拉登伯格,夏罗默·迈特尔.创新的天梯[M].司　哲,张　哲,译.北京:机械工业出版社,2014.

[15] 季跃东.创新创业思维拓展与技能训练[M].北京:科学出版社,2012.